猫の「がん」

〜正しく知って、向き合う〜

監修
小林哲也
公益財団法人 日本小動物医療センター附属
日本小動物がんセンター センター長

neco-necco

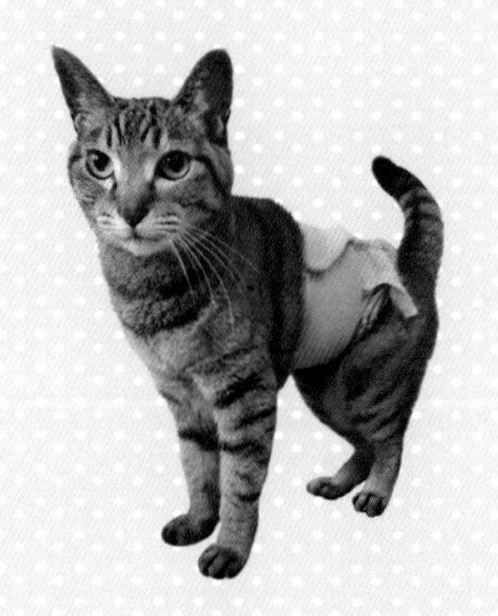

今や「がん（悪性腫瘍）」は、人だけでなく、猫にとっても、代表的な死因となっています。

その背景には、室内だけで飼う猫の増加によって、感染症や交通事故などで命を落とすケースが減り、平均寿命が伸びていることがあります。こうした高齢化は、猫が家族の一員のように健康管理を受け、最期を迎える日まで大切にされて過ごしている表れですが、一方で、がんにかかる猫が増えるというジレンマが生じています。

――では、もしも愛猫が「がん」になったら？

想像するだけで悲嘆に暮れてしまうという方も、今まさに愛猫が闘病のさなかという方もいるかと思います。がんは最強の部類に入る病気だけに、痛みを言葉にできない猫に寄り添う人の心にも不安が押し寄せます。「何とか救ってあげたい」「できるだけのことをしてあげたい」。だからこそ、必死に情報を集めたくなることでしょう。

しかし、インターネットに飛び交う動物のがんの情報には、犬には当てはまっても猫には当てはまらないものや、効果の確証がまだ得られていない治療法があふれ、「何が正しく、何が間違っているのか」が大変わかりにくくなっています。ひとたび情報の波に溺れてしまえば、かえって不安が増したり、治せるがんも治せなくなってしまう可能性があります。

このような現状を踏まえて、飼い主さんが猫のがんの正しい知識にアクセスできるようにと考えたのが、本書を制作した目的です。日々、がんを患う動物の診療にあたり、有効性の高い治療法の開発にも取り組む獣医臨床腫瘍学の第一人者・小林哲也先生による全面監修のもと、猫のがんの特徴、できる予防と早期発見、検査、根治と緩和の治療法を、図解や写真をまじえて丁寧に解説します。

かけがえのない命と向き合うために。飼い主さんの心の支えとしても、本書を有効に活用していただければ幸いです。

contents

愛猫が「がん」になったら何をする？

フローチャートでチェック

愛猫の「がん」を疑って動物病院へ行くと、以下のような流れに沿って検査や診断、治療が進められます。

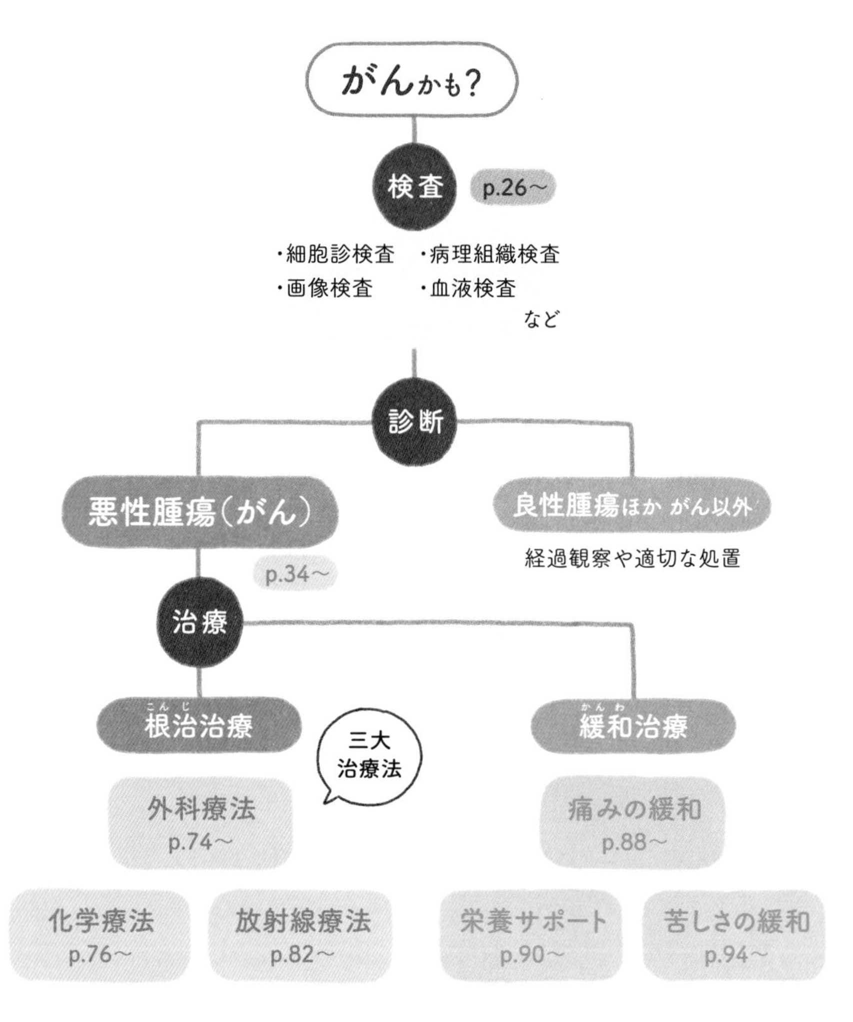

※猫の苦痛を最小限に抑えるため、根治治療中は緩和治療も併用されます。

1章

猫の「がん」を理解する

猫の「がん」ってどんな病気？

「がん」は猫にとっても代表的な死因の一つ

人の世界では、日本人の2人に1人がかかると言われている「がん」※1ですが、猫にとっても珍しい病気ではありません。腎臓病や心臓病については聞いたことがあっても、がんは、愛猫のがんを疑って初めて意識する飼い主さんも多いのではないでしょうか。

海外の獣医学研究では、病死した猫のうち約3分の1が「がん」で死亡しているというデータ（図1）があり、日本でも10才以上の猫の死亡原因の上位に腫瘍がランキングされています※2。

今は元気な猫も、加齢とともにかかる可能性がある「がん」。猫の飼い主さんにとって、人ごとではない、知っておくべき病気と言えます。

※1 出典：国立がん研究センターがん情報サービス「がん登録・統計」

※2 出典：「アニコム家庭どうぶつ白書2017」猫の死亡原因

図1 病気で死亡した猫の死因トップ10

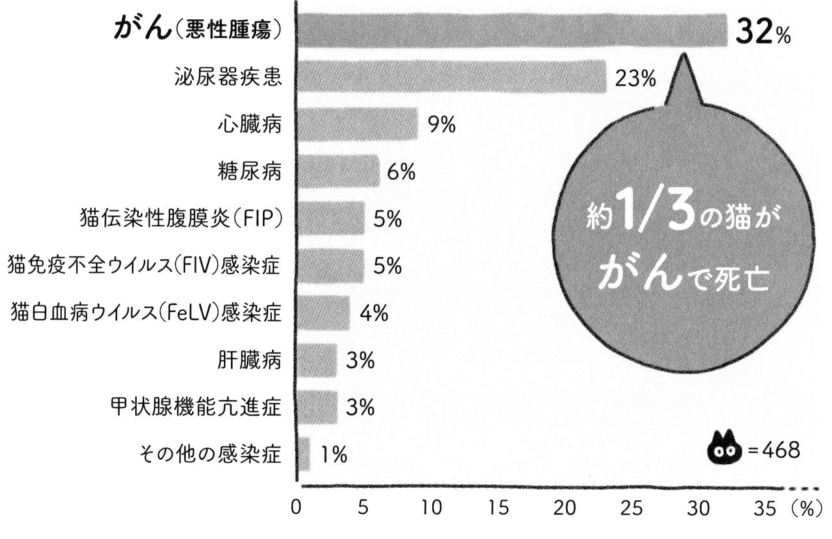

出典：Animal Health Survey, Morris Animal Foundation, 1998

「がん」とは 悪性腫瘍のこと

では、そもそも「がん」とは何でしょうか。その言葉は日常的に使われていますが、腫瘍、腫瘤(しゅりゅう)、ポリープなど、似た用語があるため混乱しがちです。まずは言葉の定義を知っておきましょう。

がんとは**悪性腫瘍**の総称です。細胞が何らかの原因で異常に増え、かたまりになったものを**腫瘍**と言いますが、腫瘍には悪性と良性があり、悪性のものを「がん」と呼んでいます。

また、腫瘍は「新生物」という言葉と同じ意味で使われ、がんを「悪性新生物(あくせいしんせいぶつ)」と呼ぶこともあります。

周囲に広がったり 別の場所に飛び火する

腫瘍には、悪性であるがんのほか、良性のものもあります（表1）。良性腫瘍は大きくなることはあっても、体にとって重大な悪さをすることはほとんどありません。

一方で悪性腫瘍は、異常細胞が無秩序、無制限に増殖を繰り返しながら周囲にしみ込むように広がる**浸潤**(しんじゅん)（図2）を起こしたり、正常な組織を破壊することがあります。さらに、がん細胞が離れた組織に飛び火する**転移**(てんい)（図3）の可能性があり、命の危険を伴う重大な悪影響を及ぼすこともあります。

表1 がん（悪性腫瘍）と良性腫瘍の違い

	がん（悪性腫瘍）	良性腫瘍
浸潤する?	する	しない
転移する?	する	しない
正常な組織を破壊する力は?	強い	なし〜弱い
腫瘍が原因で死亡する可能性は?	ある	なし

図2 浸潤のイメージ
異常細胞が増殖しながら周囲にしみ込み広がる

図3 転移のイメージ
異常細胞が離れた組織に飛び火する

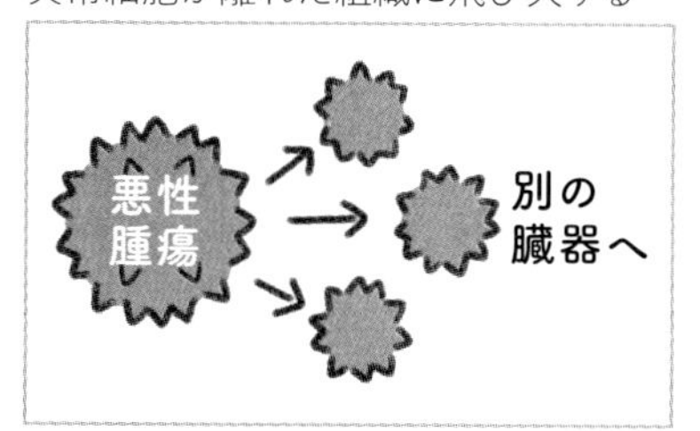

犬に比べると 猫の腫瘍は悪性が多い

浸潤や転移の危険性がない良性腫瘍であれば、何も心配ないように思えるかもしれません。ところが猫の場合、腫瘍はそもそも悪性のことが多く、犬に比べて良性腫瘍のケースが少ないという現状があります。また、今は良性と診断されても将来的に腫瘍が悪性に変わる可能性もあるため（とくに乳がん）、良性・悪性いずれにしても、猫の腫瘍は注意が必要なのです。

高齢になるほど がんのリスクが高くなる

現在、日本の飼い猫の平均寿命は15.45才※3。約10年前に比べて平均寿命は延び※4、ご長寿猫が増えているのは喜ばしいことですが、高齢になるにつれてがんの発生リスクは高まる傾向があります（ただし、猫白血病ウイルスが関連するリンパ腫の場合は、若い年齢でもかかることがあります）。

また、がんの種類によっては、かかりやすい猫や環境の要因がわかっているものも。例えば肥満細胞腫（ひまんさいぼうしゅ）はシャムに多く、扁平上皮（へんぺいじょうひ）がんは紫外線の影響を受けやすいため、白い被毛をもつ猫に多い傾向があります。ほかにリンパ腫はタバコの煙が影響し、飼い主さんやその家族が喫煙者の場合、受動喫煙した猫はリンパ腫の発生リスクが高まることがわかっています。

※3 出典：一般社団法人ペットフード協会「令和2年 全国犬猫飼育実態調査」

※4 「平成23年 全国犬猫飼育実態調査」では、猫の平均寿命は14.39才

発生リスクを避ければ 予防できるがんもある

がんは、様々な要因が絡み合って発生するため、確実に予防するのは難しい病気です。しかし中には発生率が高くなる要因を避ければリスクを減らせるがんもあります。

よく知られているのは、乳がんの発生とホルモンの関係です。早め（1才になる前）に不妊手術を受けることで乳がんの発生率が低下し、予防手段として有効なことがわかっています。また、タバコの煙によるリンパ腫の発生リスクを避けるためには、猫に受動喫煙させないことも、がんの予防の一つとなります。

「がん」と「癌」は違うもの？

「がん」はひらがなのほか、漢字の「癌」が使われることもありますが、じつはこの二つの表記は医学的には使いわけがあります。簡単に言うと、「がん」は悪性腫瘍全般を指し、「癌」は悪性腫瘍のうち、**癌腫**（がんしゅ）という分類のものに対して使われているのです。

くわしく説明すると、がん（悪性腫瘍）には、細胞の由来によって二つの分類があります。一つは皮膚や粘膜、肝臓、消化器、腎臓、前立腺などの上皮性（じょうひせい）組織から発生する腫瘍で、これを**上皮性**（じょうひせい）**悪性腫瘍**、または**癌腫**と言います。癌腫には扁平上皮癌、乳腺癌（乳癌）などがあり、漢字の「癌」が使用されます。

もう一つは、上皮性組織以外の、結合組織、血管、軟骨、骨、筋肉、神経などから発生する腫瘍で、**非上皮性**（ひじょうひせい）**悪性腫瘍**または**肉腫**（にくしゅ）と呼びます。肉腫には骨肉腫（こつにくしゅ）や線維肉腫（せんいにくしゅ）などが含まれます。また、血液細胞（骨髄やリンパ節などの造血器）から発生するリンパ腫、肥満細胞腫、白血病などの円形細胞腫瘍も非上皮性腫瘍に含まれます。

「がん」と「癌」。厳密には違いますが、一般的にはとくに使いわけていないことも多いため、この本では原則的に「癌」についてもひらがなの「がん」を使用しています。

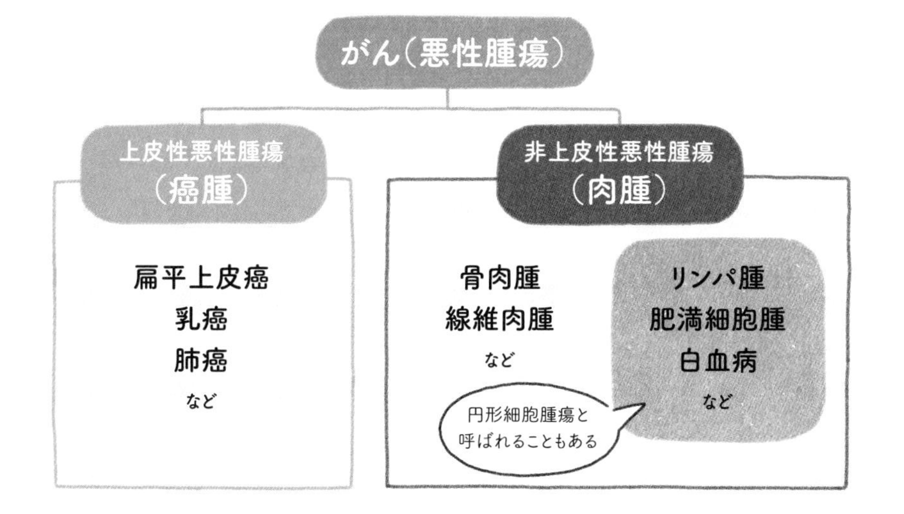

猫の「がん」ができる部位

猫にできるがんの種類は犬ほど多くありませんが、それでも全身に発生します。とくにできやすいとされている部位があるので、おもながんとその部位をご紹介します。

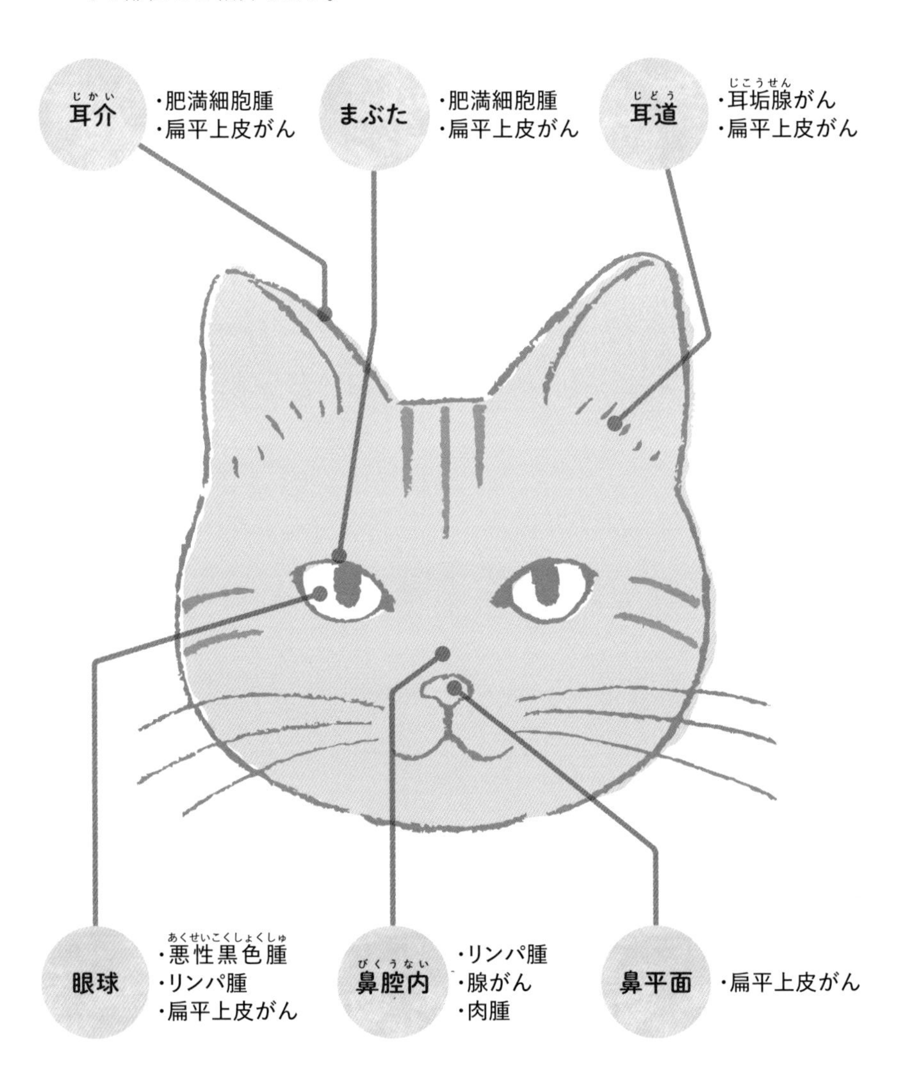

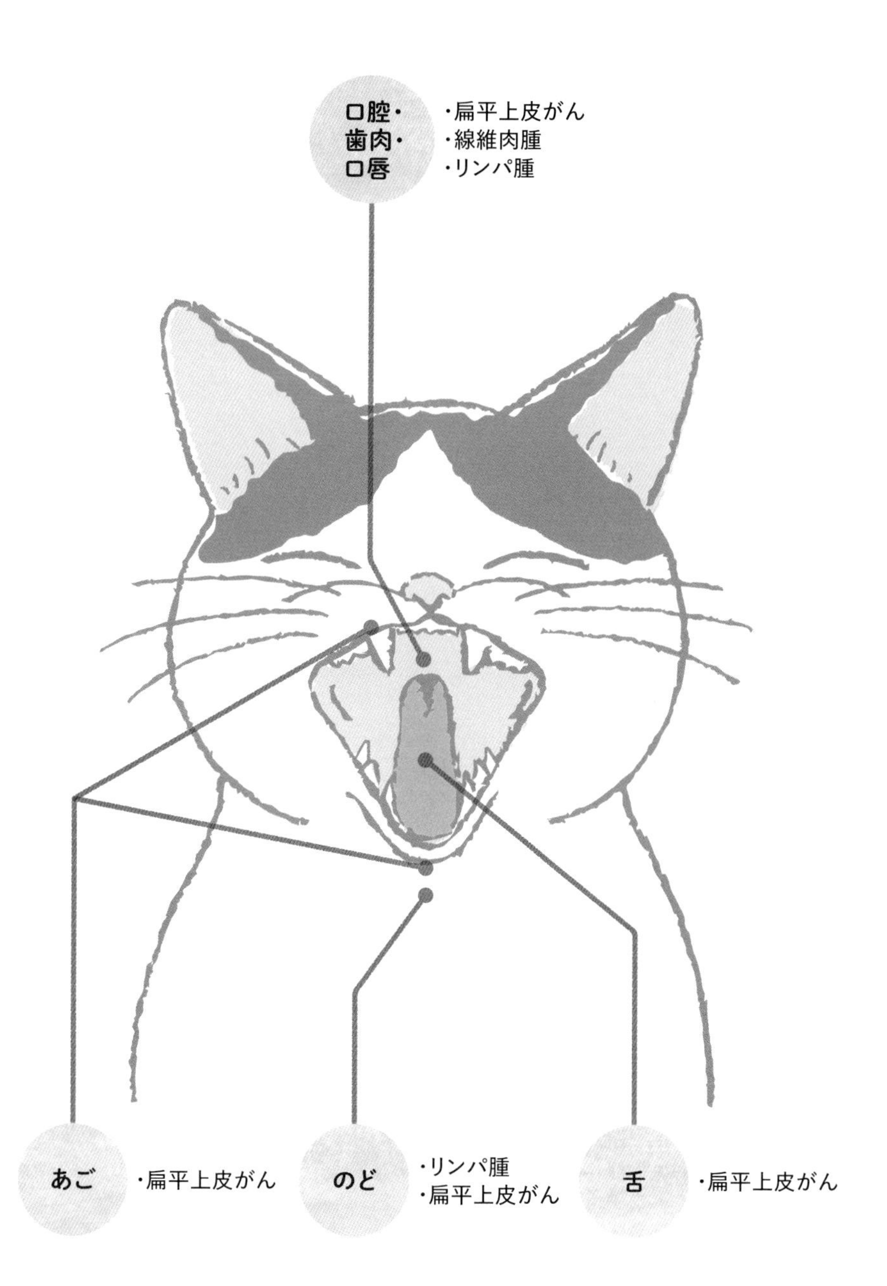
口腔・
歯肉・
口唇
・扁平上皮がん
・線維肉腫
・リンパ腫
あご
・扁平上皮がん
のど
・リンパ腫
・扁平上皮がん
舌
・扁平上皮がん

頭部
・肥満細胞腫
・線維肉腫
背中・肩甲骨間
・注射部位肉腫（ちゅうしゃぶいにくしゅ）
・肥満細胞腫
皮膚
・肥満細胞腫
・リンパ腫
・扁平上皮がん
足の先・肉球
・腺がん
・肥満細胞腫
・扁平上皮がん
後ろ足の外側
・注射部位肉腫
・肥満細胞腫
腰・臀部
・注射部位肉腫
・肥満細胞腫

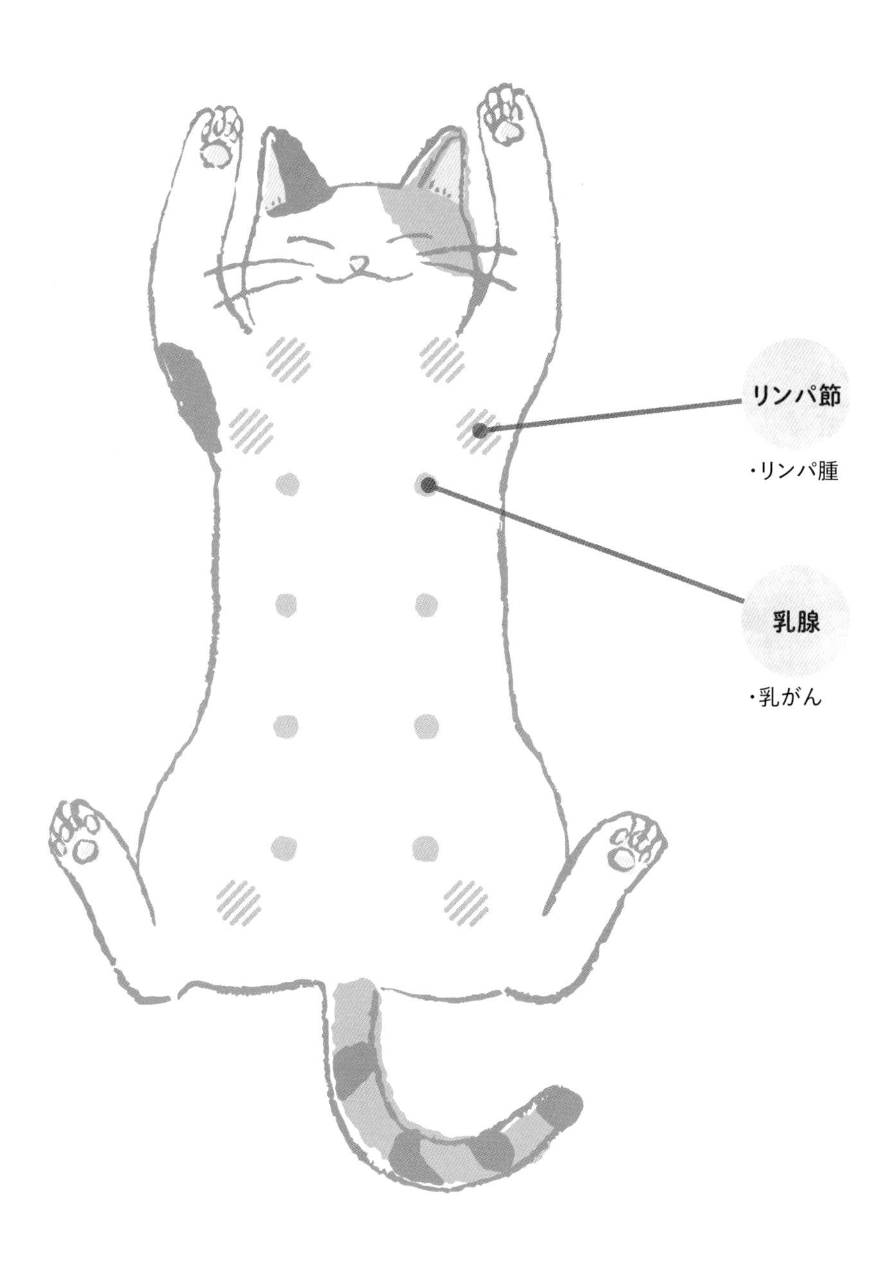
リンパ節
・リンパ腫
乳腺
・乳がん

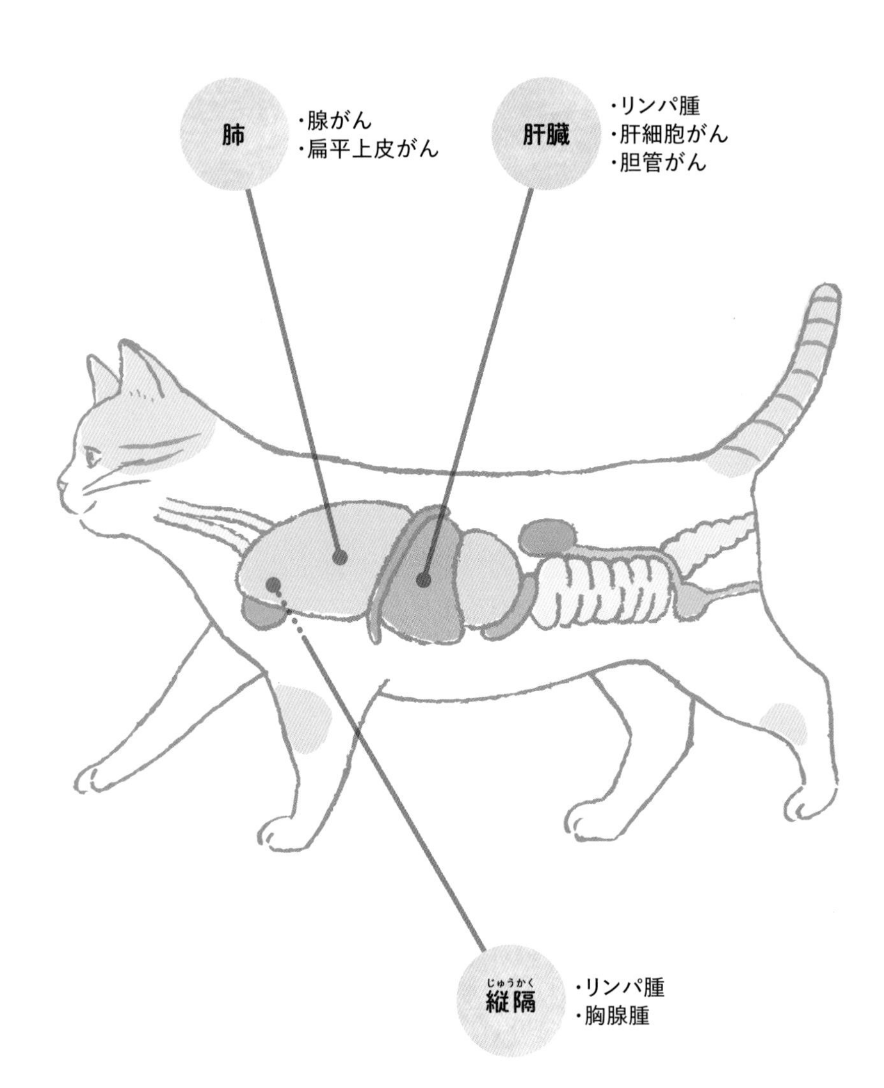
肺
・腺がん
・扁平上皮がん
肝臓
・リンパ腫
・肝細胞がん
・胆管がん
じゅうかく
縦隔
・リンパ腫
・胸腺腫

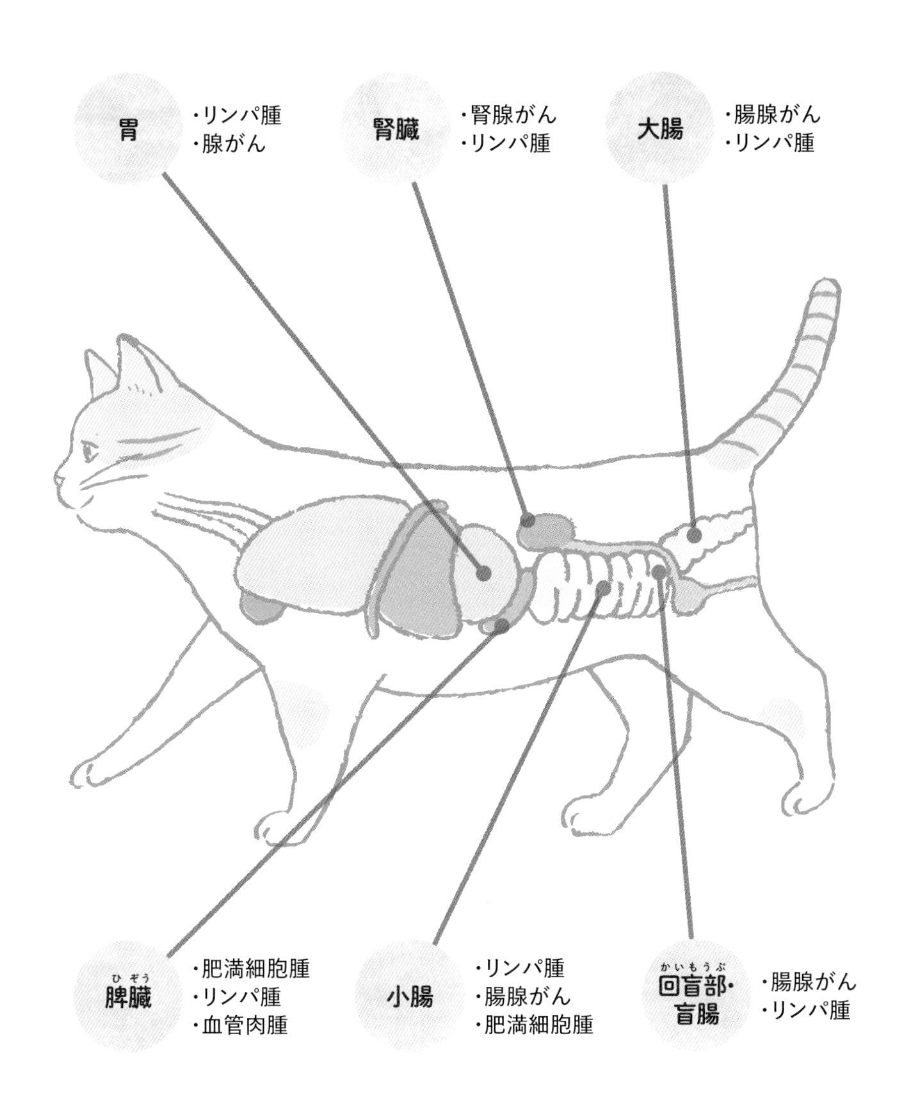
胃
・リンパ腫
・腺がん
腎臓
・腎腺がん
・リンパ腫
大腸
・腸腺がん
・リンパ腫
脾臓（ひぞう）
・肥満細胞腫
・リンパ腫
・血管肉腫
小腸
・リンパ腫
・腸腺がん
・肥満細胞腫
回盲部（かいもうぶ）・盲腸
・腸腺がん
・リンパ腫

氾濫するネットの情報を うのみにしないで

インターネットで調べれば何でも情報が見つけられる便利な時代ですが、氾濫する情報が正しいとは限りません。また、ペットの病気や治療法についての情報は犬を想定したものも多く、猫にはそのまま当てはまらないことも。さらに、注射部位肉腫や猫白血病ウイルスに関連したリンパ腫など、年代によって情報が大きく変化するものもあります。曖昧な情報に惑わされないよう、検査や治療のことなど、疑問点があれば遠慮せずに獣医師に質問し、病気に関する最新情報を入手しましょう。

2章

「がん」の発見と診療の流れ

がんを早期に発見・治療するには

早期発見が治療の幅を広げる

　がんは予防が難しい病気ですが、人と同じく、猫のがんも早期発見が早期治療の有効な対策です。早い段階で発見できれば、治療方法の選択肢も多くありますが、かなり進行してから動物病院に行くと、できることは限られてしまいます。

どのがんにも共通するサインは体重減少

　では、がんを早期発見するためにはどうしたらいいのでしょうか。しこりができたり、鼻血が出たりするなど、特徴的なサインがあるがんは気づくことができますが、それ以外のがんでは、飼い主さんが見抜くのはなかなか難しいことです。

　ですが、どのがんにも共通するのは、体重減少です。加齢や他の病気でも体重が減ることはあるので、がんだけのサインとは限りませんが、食事量を減らしていないのに痩せてきたら、動物病院で診察を受けましょう。

　慢性的に体重が減っていくのも、がんの徴候の一つです。元気なときより体重が1割以上減ったら、体のどこかに異常があるかもしれません。2割以上減っている場合はほぼ確実に何らかの異常がありますので、できるだけ急いで動物病院を受診してください。

ふだんから自宅での健康チェックを習慣に

　猫は痛みを我慢したり、隠す傾向がある動物ですが、具合が悪いときには不調のサインが出ています。飼い主さんがそのサインにいち早く気づくことが、がんに限らず、あらゆる病気の早期発見につながります。「受診したらすでにかなり具合が悪くなっていた」という事態を避けるためにも、ふだんから自宅での健康チェック(p.22~23)を習慣にしておきましょう。

がんのサインは見つけたらすぐに受診

　小さなしこりがあったり、痩せてくるなど、がんを疑うサインを見つけた場合は、すぐにかかりつけの動物病院を受診しましょう。

また、しこりは「気のせいかも」「ただのイボかも」と大きくなるまで様子を見るのではなく、待たずに受診することが大切です。初期のうちなら治せるがんも、大きくなって進行してからでは、どんな名医でも治療は難しくなってしまいます。神経質なくらいでもいいので、しこりに気づいたら病院へ。

体重管理は、がんを含む重大な病気の早期発見の第一歩

猫の健康管理をするうえで、排泄や嘔吐のチェックはしていても、体重測定は「毎日抱っこしていれば重さは何となくわかるから……」と、見落としがちではないでしょうか。

猫は健康なときに比べて1割以上体重が減ると、異常があると考えられますが、例えば4kgの猫の場合、1割は400gです。一般的な成人用の体重計では400gの減少は誤差が出てしまうことがあり、気づきにくいものです。

そこで、猫の体重測定には、10～50g単位の計量が可能なペット用の体重計や、新生児用のベビースケールがおすすめです。猫にのってもらうのが難しい場合には、下記のように工夫してみてください。また、最近では、スマートフォンのアプリで体重測定が可能な猫用トイレなどもあります。

いずれにしても、定期的に正確な体重を計り、記録しておきましょう。

猫に体重計にのってもらう工夫の例

・おやつを体重計の上にのせて、猫が自らのるように誘導する
・猫が好きな箱をのせて、中に入ってもらう（箱の重さは引く）
・猫を洗濯ネットに入れて計る

ペット用の体重計。つねに室内に出しておくと慣れてのりやすくなります

おやつをあげるスポットにして「いいことがある場所」と覚えさせても

自宅でできる 健康チェックリスト

以下を参考に猫の体や行動をチェックし、
一つでも当てはまる項目があれば獣医師に相談してください。

顔と頭のチェック

- □目ヤニが急に出るようになった
- □かさぶたが治らない
- □口臭がひどくなってきた
- □歯肉が赤く腫れていたり、出血することがある
- □左右の耳の形や厚みが違う
- □目の瞬膜が出たままになっている
- □鼻血(とくに片方から)が出る
- □顔が変形してきた
- □あごの下にしこりがある

体のチェック

- □毛並みが悪くなった
- □同じ部位ばかりをなめている
- □皮膚に赤みやブツブツがある
- □暗い場所でうずくまっている
- □歩き方がいつもと違う
- □急にジャンプをしなくなった
- □体を触ると痛がる
- □おなかやおっぱいにしこりがある
- □いつもよりも呼吸の回数が多い
- □じっとしているのにおなかで息をしている
- □暑くもないのに開口呼吸をしている

食事のチェック

- □フードを食べにくそうにしている
- □食欲がない
- □食べているのに痩せてきた
- □水を飲まない
- □飲水量が増えた
- □吐いた後、具合が悪そうにしている

排泄のチェック

- □何度もトイレに行く
- □排泄のポーズをするのに出ない
- □赤いおしっこをする
- □便に血が混じる

ふだんから
マッサージやブラッシングで
スキンシップをはかり、
体を触られることに
慣れさせましょう

定期健診で健康状態をチェック

猫の体に異変がなくても、定期的に健康診断を受けることは、病気の予防、早期発見・治療に役立つことがあります。とくに血液や尿の検査は猫に多い腎臓の病気を早く見つけられるため、6才以上になったら年に2回は受けることをおすすめします。

病院によっては、基本の身体検査、血液検査、尿検査、便検査などのほかに、**X線**（レントゲン）**検査**、**超音波**（エコー）**検査**などをプラスしたコース別になっている場合もあります。定期健診をどこまで受けるかは、猫の年齢や性格、検査の頻度、費用などもあわせたうえで考える必要があります。

血液検査ではほとんどのがんは見つからない

人では血液中の腫瘍マーカーを調べることで、がんが見つかることもあります。一方、猫では、ごく一部のがん（白血病など）を除き、血液検査でがんを見つけることはできません。ときには、動物病院で嘔吐や下痢など、がんとは無関係の問題について精査しているうちに、がんが偶発的に見つかることもあります。

身体検査で全身をくまなく触ってもらう

愛猫の健康チェックをしていて、気になる様子や異変があったら、動物病院に行き、獣医師にきちんと伝えましょう。

がんを見つけるうえで、動物病院の検査で一番大切なのは、猫の体をくまなく触って診てもらう身体検査です。目や耳、鼻、口の中、皮膚、おなかや乳腺の触診、また心音や呼吸音のチェックなど、猫の全身をよく調べてもらいましょう。そして病気が疑われる場合は、目的によってX線検査や超音波検査、さらに腫瘍の可能性がある場合はくわしい検査を行い、がんかどうかを調べます。

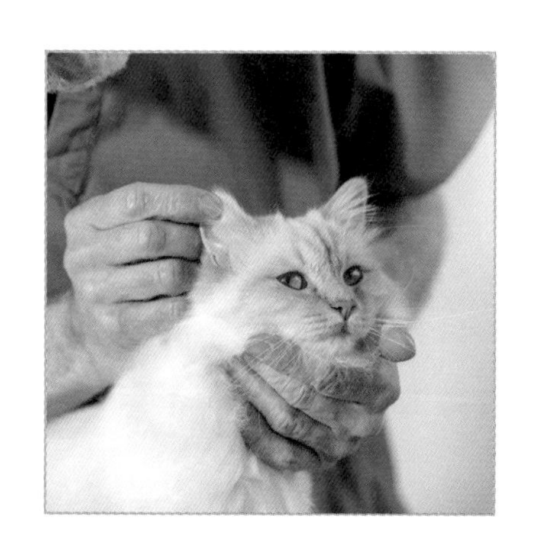

がん診療には3つのステップがある

がん診療は計画的な戦略が大事

動物病院を受診し、愛猫にがんの疑いがあった場合、どのように診察や治療が進められるのでしょうか。がんの診療には、下の図(図1)のような3段階のステップがあります。

がんは猫の命を奪う恐れもある手強い敵です。その敵に効率よく対峙するためには、やみくもに突き進んだり、出たとこ勝負で対応するのではなく、相手の状態をよく調べ、事前に戦略を立てることがとても大切。このステップは、そのための重要な考え方です。

図1 がん診療の3つのステップ

Step 1 診断

できものの検査をして、腫瘍と確定する

→ 病理検査(細胞診検査または病理組織検査) p.26～

Step 2 転移・広がり具合・持病の検査

腫瘍の転移や広がりの状態、また持病の有無を確認する

→ 画像検査、血液検査など p.28～

Step 3 治療

根治、あるいは症状の緩和を目指す治療プランを組み立てる p.30～

根治治療
がんと積極的に闘う治療
p.72～

緩和治療
がんと共存する治療
p.87～

Step 1 診断

腫瘍を確定するための病理検査

猫は症状を言えないからこそ検査が大事

がんの疑いがある場合、大切なのは検査できちんと診断することです。猫は人間のように自分で「ここが痛い」「調子が悪い」と訴えることができません。検査はもの言わぬ猫の体の状態を知る大切な手段なのです。

まず診療の第1段階、がんと診断するための検査に、細胞を見て診断する**細胞診検査**と、細胞および組織構造を見て診断する**病理組織検査**があります（表1）。これらをあわせて**生検**（せいけん）（生体検査）と呼びます。それぞれの生検法の特徴を解説します。

細胞診検査

注射針で細胞を一滴採って調べる生検

ワクチンや皮下注射に使う注射針と同じサイズの細針をしこりに刺し、細胞を採取する検査（針生検）です。スライドガラスに採取した細胞を付着させ、染色したものを顕微鏡で観察して、しこりが腫瘍なのか、悪性のものなのかなどを調べます。大細胞性リンパ腫や肥満細胞腫など一部のがんは細胞診で確定することが可能です。通常は麻酔を必要としないので、猫の体に負担が少なく、迅速で簡便な検査です。

悪性あるいは良性腫瘍という単純な分類だけでなく、腫瘍の由来やグレードなど、詳細を調べなければならない場合は、病理組織検査が必要なこともあります。

細胞診検査で使用される針

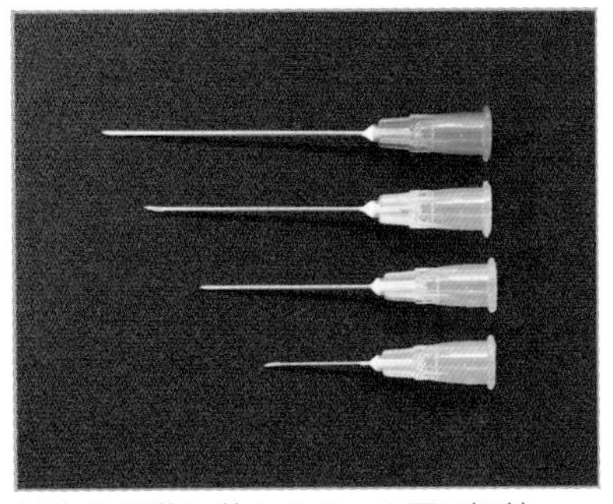

採血や投薬に使われるのと同じ細針なので、痛みはほとんどありません

表1 細胞診検査と病理組織検査の違い

	細胞診検査	病理組織検査
何を見る?	細胞	切り取った部位の細胞と組織構造
診断の精度	80〜90%	90%以上
猫の体への負担	小（注射と同程度）	中〜大（局所麻酔、切開手術などが必要）
結果までの期間	3日〜1週間程度	5〜10日程度
費用の目安（★〜★★★）	★〜★★	★★〜★★★

病理組織検査

組織をかたまりで採り組織構造を調べる生検

がんが疑われる部位の一部や全体を切り取って、細胞や組織を詳細に調べる検査です。専用の太い針やメスなどを使って行われます。

切開・切除するには局所麻酔や鎮静剤の投与、全身麻酔などが必要になるため、猫の体に負担がかかりますが、細胞診検査で診断がつかなかった場合、あるいは、より詳細な情報が必要とされる場合に必要な検査です。採取したサンプルは、専門の外部機関（検査センター）に依頼して専門家が診断するため、結果が出るまでに5〜10日程度の日数がかかります。

病理組織検査で使用される器具

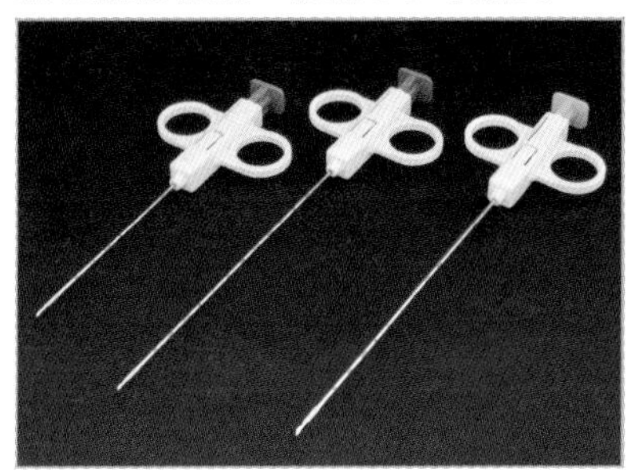

細胞診（針生検）で使用する針より太い専用針。しこりに刺し、組織を採取します

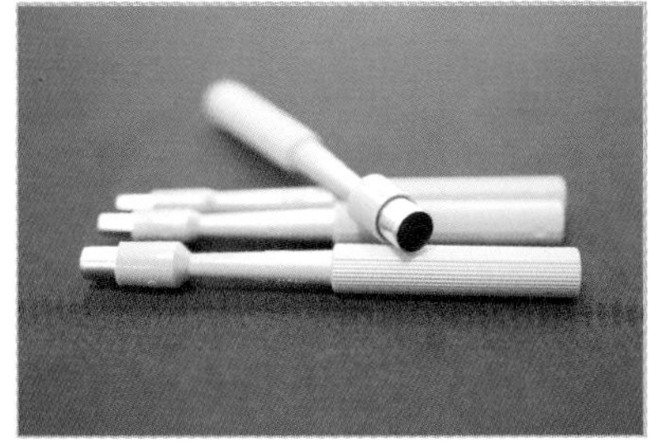

円形の刃で腫瘍の皮膚を切り取り、組織を採取する専用の器具

Step 2 転移・広がり具合・持病の検査

がんの進行や広がりを調べる画像検査

肉眼や触診でわからない情報を画像で調べる

がんの進行具合や広がり具合を診断する方法には、体内を画像に写し出して調べる**画像検査**があります。画像検査では**X線**(レントゲン)**検査**、**超音波**(エコー)**検査**、また他の検査の過不足を補うために**CT**(コンピュータ断層撮影)**検査**や**MRI**(磁気共鳴映像法)**検査**を使用することもあります。それぞれ長所と短所があるので、がんの種類や場所によっては、複数の方法を組み合わせた診断が行われます。

がんというと治療方法が注目されがちですが、その前段階の検査・診断方法は年々進歩を遂げています。とくに超音波診断装置の性能が近年驚くほど向上。おなかの中の病気の診断精度を上げることが可能になっています。

X線(レントゲン)検査

とくに肺への転移を確認するために重要

X線診断装置を用いて、肉眼や触診ではわからない腫瘍の位置、転移の有無を調べることができます。X線検査は、腫瘍の位置や大きさ、各種臓器との関係性など、全体像を把握するために用いられますが、肺への転移を確認するために最も重要な検査の一つです。

肺転移を伴う乳がんの胸部X腺画像

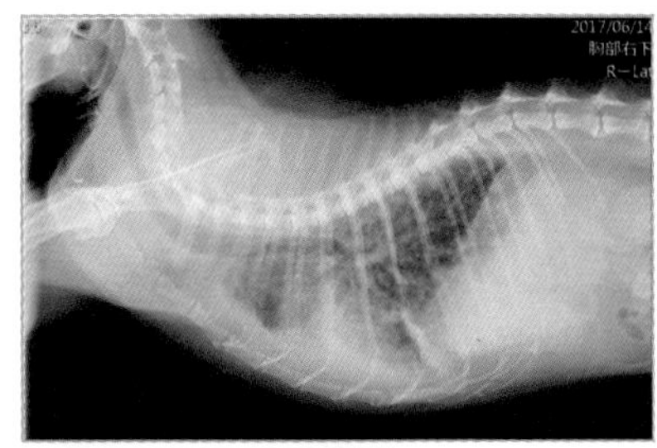

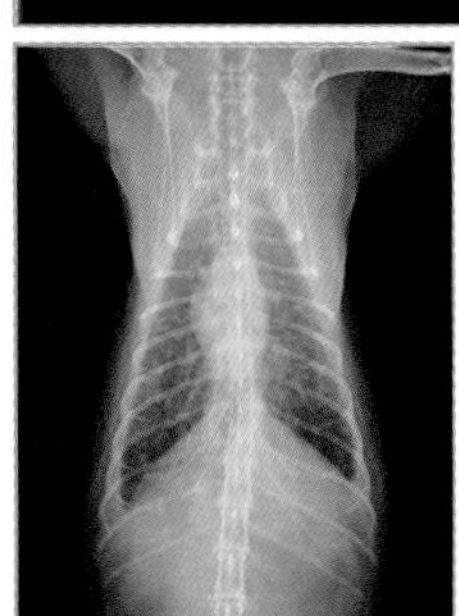

▲側面像
◀仰向け像
肺(黒っぽい部分)に無数の白い影が認められます

超音波(エコー)検査検査

猫への負担が少なく
腫瘍の内部構造がわかる

腫瘍の有無や大きさだけでなく、できものの内部構造や血流の有無などを調べることができます。文字通り超音波を用いるため、放射線被曝の心配が全くなく、猫に負担の少ない検査です。ただし、腹部や胸の中の臓器を見る際に毛が邪魔をするため、検査部の毛刈りが必要になります。

超音波検査を受ける猫とエコー画像

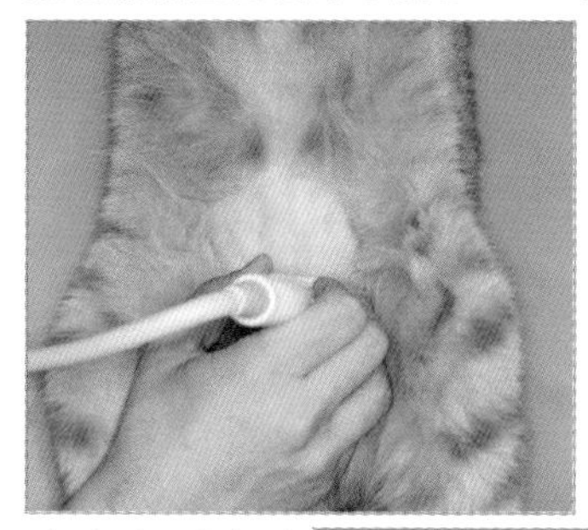

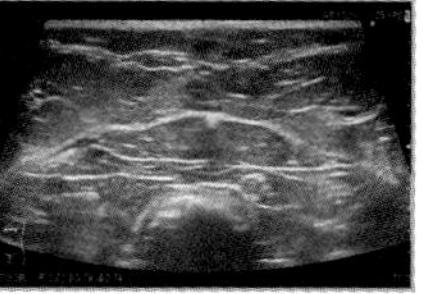

毛刈りをした部分に超音波プローブを当てて検査。右は検査のモニター画像

麻酔は過剰に恐れなくていい?

検査や手術の際には局所麻酔、鎮静剤の投与、全身麻酔が必要になることがありますが、麻酔や鎮静剤と聞いて「怖い」と不安になる飼い主さんもいるかもしれません。昔は「麻酔で死んでしまった」という悲しい話が都市伝説のように聞かれることもありましたが、現在は麻酔の精度も上がり、全身麻酔には安全性の高い吸入麻酔(ガス麻酔)が多くの動物病院で使われています。

2002〜2004年にイギリスの117の動物病院で行われた大規模調査によると、麻酔・鎮静処置を受けた猫79,178匹中、麻酔や鎮静が死亡に関連していると考えられた割合は0.24%と報告されています※1。

もちろん麻酔のリスクはゼロではありません。事前に麻酔が安全にかけられるかどうかを獣医師がきちんと調べ、注意深く麻酔をかける必要はありますが、飼い主さんが過度に恐れる必要はありません。

※1 この研究での「麻酔・鎮静関連死亡数」とは、麻酔後48時間以内に死亡した症例のうち、麻酔が一因と考えられる死亡症例と定義としています。

Step 3 治療

治療プランの組み立て

治療の目的は「根治（こんじ）」と「緩和（かんわ）」にわかれる

がんの治療をする際にまず考えなくてはならないのが「治療の目的」です。「目的は"治すこと"が当然じゃないの？」と思うかもしれませんが、がんは完全に治すことがとても難しい病気です。そのため、治療内容は何をゴールと考えるかによって、コンセプトの違う二つの道にわかれます（図1）。

一つはがんと積極的に闘って完治を目指す**根治治療（こんじちりょう）**。もう一つは、がんと闘わずに共存する**緩和治療（かんわちりょう）**です。

根治治療は、がんそのものを取り除くことを目指し、**外科療法**（手術）、**化学療法**（抗がん剤など）、**放射線療法**などを単独、または組み合わせて行います。

一方で緩和治療は、がんとは直接闘わず、がんに関連する痛みや苦痛を取り除いたり、栄養のサポートをするなど、**生活の質**（クオリティ・オブ・ライフ＝QOL）を高めることが目的です。

図1 目的によって違うがん治療のプラン

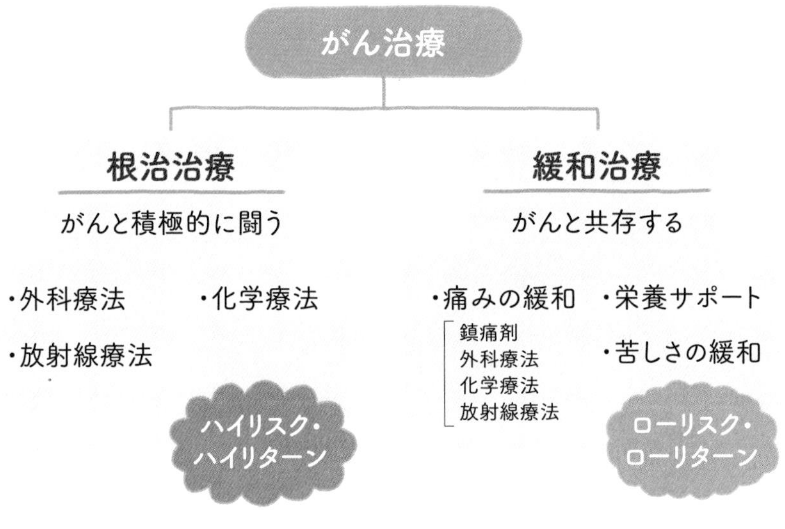

がん治療

根治治療

がんと積極的に闘う

- 外科療法
- 化学療法
- 放射線療法

ハイリスク・ハイリターン

緩和治療

がんと共存する

- 痛みの緩和
  - 鎮痛剤
  - 外科療法
  - 化学療法
  - 放射線療法
- 栄養サポート
- 苦しさの緩和

ローリスク・ローリターン

治療プランはリスクと効果のバランスも考える

愛猫のがん治療を始める際は、前述の治療方針を決めることになります。

積極的にがんと闘う根治治療は効果が高く、年単位での延命が期待できる反面、リスクを伴ったり、飼い主さんの負担が大きくなる場合もあります。

一方、緩和治療はリスクは低いのですが、得られる効果も緩やかで限定的。緩和治療を選択したときの平均的な生存期間は、数カ月程度です。基本的には、がんが進行していたり、飼い主さんの事情などにより、根治治療が難しい場合の選択肢なので、「お別れの日が来るまで、穏やかに過ごすための治療」となります。

根治治療の開始とともに緩和治療を行うのが主流

がんと闘う根治治療だからといって、猫に苦痛を与え続けるわけではありません。最近は、根治治療と並行して、栄養学的なサポートを行ったり、痛みを取る緩和治療を並行する方法が主流になっています（図2）。

獣医師は治療のトータルコーディネーターとして治療プランを組み立て、飼い主さんに選択肢を提示してくれるはずです。家族でよく話し合い、治療効果とリスクのバランスを納得したうえで、治療方針を決めましょう。

図2 根治治療と並行して緩和治療を行う考え方が主流に

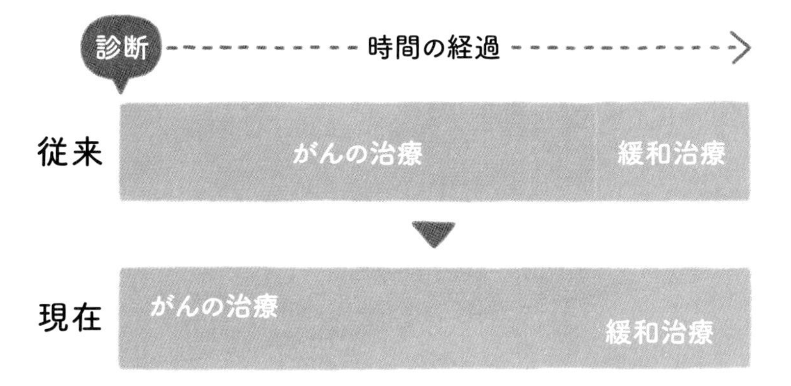

従来は、がんの治療ができなくなってから緩和治療へ移行する考え方でした（上）。現在は、がんと診断されたときから、根治治療とともに、痛みや苦痛を取り除く緩和治療を並行して開始します

がん治療には
高額な医療費がかかる

猫の腫瘍にかかる年間診療費は、9～12才で平均131,782円というデータ※1がありますが、診療費はがんの種類、治療方法、治療期間などによって様々です。腫瘍の手術では1回あたりの診療費が平均約8万～14万円前後※2、放射線療法などでは数十万円単位になることもあるので、「どこまでの治療を望むのか」は、シビアな問題ですが考えなくてはなりません。

何が最善策かは、飼い主さんの家庭の状況や考え方によって違います。決断するためには勇気も必要ですが、獣医師と相談しながら、飼い主さんと猫にとって、その時点で一番いいと思う、納得のいく方法を見つけてください。

※1「アニコム家庭どうぶつ白書2019」猫の疾患別・年齢別の年間診療費（1頭あたり）より
※2「アニコム家庭どうぶつ白書2019」猫の手術理由TOP10より

手術1回あたり
平均8万～14万円前後

年間診療費
平均約13万円

放射線療法
数十万円

3章

猫がかかりやすい「がん」

猫に多い代表的な5つのがん

猫の腫瘍の多くが悪性ですが、かかりやすいがんの種類はそれほど多くはありません。猫がかかる代表的ながんは次の5つです（統計データは図1）。

乳がん

乳腺に発生する悪性腫瘍。メスに発生しますが、まれにオスがかかることもあります。初期は米粒ほどのしこりが次第に大きくなり、リンパ節や肺へ転移するリスクも高いがんです。ホルモンバランスと関係があり、**早めの不妊手術**が予防につながることがわかっています。

くわしい解説は ➡p.36〜

リンパ腫

血液中の白血球の一つ、リンパ球のがん。全身の様々な部位に発生しますが、現在最も多いのは胃や腸にできる**消化器型**と**鼻腔内型**のリンパ腫です。また、猫白血病ウイルスに感染している猫が多い地域では、若い猫を中心に、胸の中にできる縦隔型や全身のリンパ節が腫れる多中心型などのリンパ腫も見られます。

くわしい解説は ➡p.44〜

肥満細胞腫

この病名から、太っている猫のがんと思われがちですが、体型とは関係なく、肥満細胞という白血球の一つが腫瘍化したものです。皮膚にできる**皮膚型**と、**内臓（とくに脾臓）にできるタイプ**があり、皮膚型は頭や首、足などにイボのようなものや皮膚の赤みなどが発生します。

くわしい解説は ➡p.52〜

扁平上皮（へんぺいじょうひ）がん

皮膚や粘膜を構成する扁平上皮細胞ががん化したもの。**顔面の皮膚**と**口の中**に発生しやすく、猫の口の中に発生するがんでは一番よく見られます。口内炎のようなものが1カ所だけに見られたら要注意。また、白い猫の耳介、鼻や眼瞼（がんけん）にかさぶたのようなものができ、いつまでも治らないものも扁平上皮がんの可能性があります。

くわしい解説は ➡p.58〜

注射部位肉腫（ちゅうしゃぶいにくしゅ）

ワクチンなどの**注射薬剤が引き金になっていると考えられている**悪性腫瘍（肉腫）。注射を打つことが多い肩甲骨の間、後ろ足の外側、背中、臀部などにしこりやこぶのようなものができ、だんだん大きくなっていきます。腫瘍が極端に大きくなりやすいという特徴があります。

くわしい解説は ➡p.64〜

図1 猫がかかる悪性腫瘍トップ10

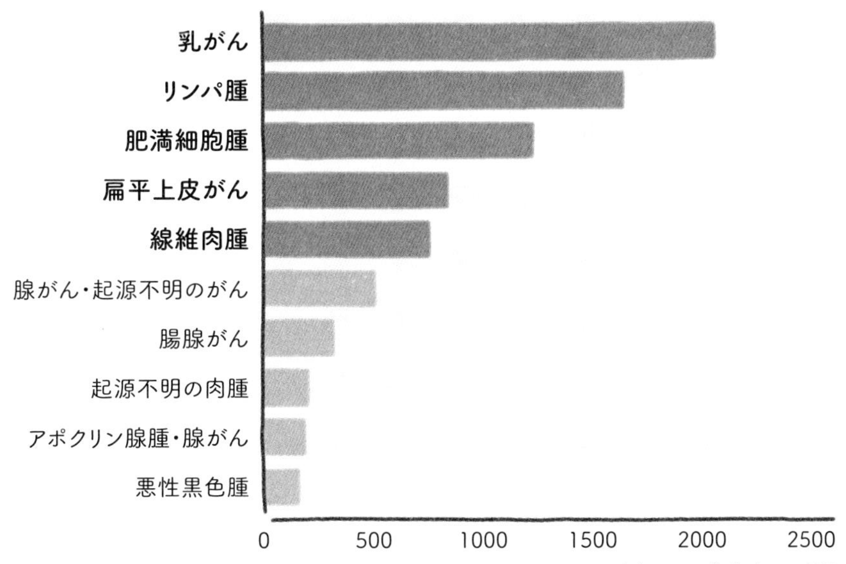

出典：ノースラボ・データベース2015

※図1は2005年1月〜2014年12月までの10年間に、国内の病理組織検査センター（ノースラボ）に提出され、がんと診断された結果を集計したデータです。上位5つが猫に多いがんとされています。ただし、病理組織検査に提出されずに細胞診検査で診断が確定されたがん（一部のリンパ腫や肥満細胞腫など）は含まれていません。そのため、調査の仕方によってはトップ5の順位が入れ替わる可能性もあります。

乳がん
2㎝未満の早期発見・早期治療がカギ

できるのは… 乳腺

どんな病気？

猫の乳腺のしこりは約8割が乳がん

母乳を分泌する組織、乳腺に発生する悪性腫瘍。猫には、わきの下から後肢の付け根にかけて左右4つずつ、合計8つの乳腺がありますが、腫瘍はそのいずれからも発生し、同時に複数見られることもあります。猫の乳腺にできたしこりは、約8割が悪性腫瘍です（図1）。さらに、良性と診断されても、そのしこりが後々悪性に転化することも少なくないので、猫の乳腺のできものには注意が必要です。

また猫の乳がんはリンパ節や肺に転移したり、進行すると腫瘍が**自壊**（破れて潰瘍状態になる）することもあり、予後（病気の経過の見通し）は厳しいものとなってしまいます。

図1 猫の乳腺のしこりの原因

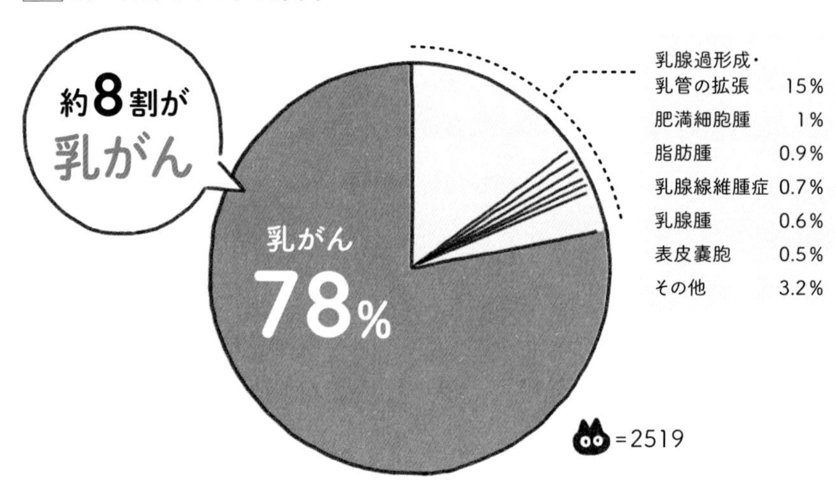

出典：Veterinary Oncology No.8, Interzoo, 2015

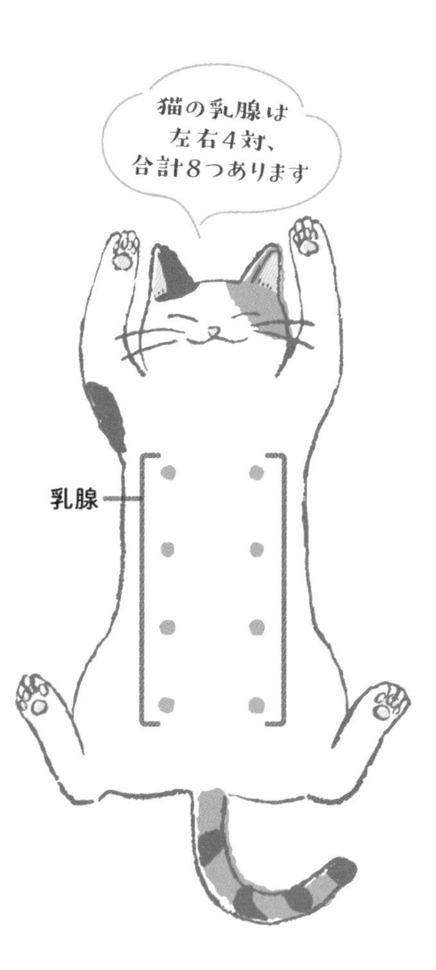

腫瘍の直径が2㎝を超えると生存期間が短くなる

乳がんの進行度は、

①腫瘍の大きさ

②リンパ節への転移の有無

③他の臓器への転移の有無

を指標に、4段階のステージで示すことができます（表1）。

猫の乳腺にできたしこりは悪性のことが多く、また乳がんの直径が2cmを超えると他の臓器への転移率が高くなり、生存期間が短くなることがわかっています（ただし小さくても転移を引き起こす乳がんもあります）。腫瘍が2cm未満で発見され、初期転移もなく、すみやかに治療が進められれば長生きできる可能性があります。

一方、3cmを超えると、転移率も高く、根治（完全に治すこと）も難しくなります。

表1 猫の乳がんの進行度を示す4段階のステージ

ステージ	腫瘍の大きさ	リンパ節への転移	他の臓器への転移
1	2cm未満	なし	なし
2	2～3cm	なし	なし
3	3cmより大きい 大きさ問わず	なし あり	なし なし
4	大きさ問わず	あり／なし いずれでも	あり

出典：McNeill C, *J Vet Intern Med,* 2009.

かかりやすいのは?

99%がメスに発生。最も多いのは12才前後

乳がんは99%がメスに発生しますが、まれにオスでもかかることがあります。一般的には中～高齢の猫に発生することが多く、日本では最も多いのは12才という報告があります。

予防・早期発見には?

1才までの不妊手術で乳がん発生率が低下

乳がんはホルモンバランスが影響しているため、早い時期に不妊手術をすると、乳がんの発生率が低下します。その効果は、生後6カ月以内で発生率が91%低下、1才になる前までで86%低下。ですが、2才以上になってから不妊手術をしても、不妊手術が乳がんの発生を抑える効果はなくなってしまいます(図2)。

乳がんの猫の症例

乳首の周辺が赤く盛り上がり、一部は自分でなめて潰瘍化しています

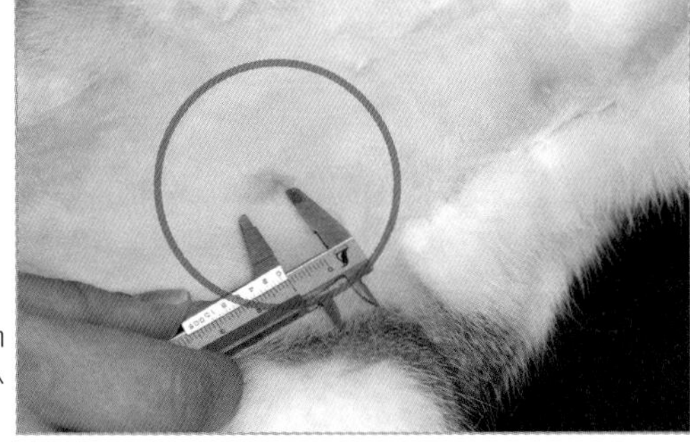

比較的小さい1.2×0.4cm大のしこり。このくらい小さくても乳がんです

図2 不妊手術の時期と乳がん発生低下率

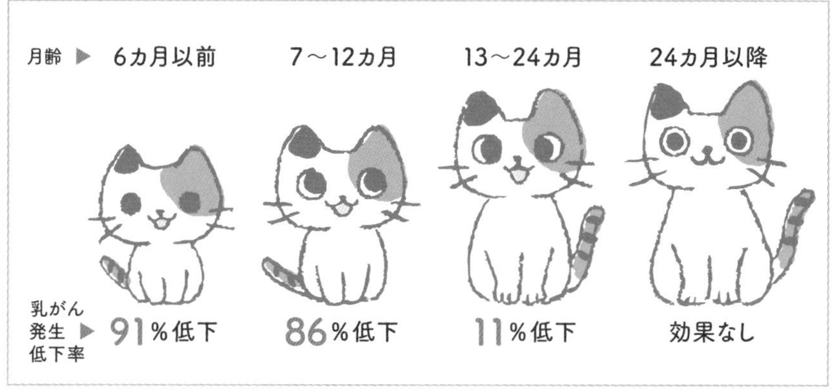

出典: Overley B, *J Vet Intern Med,* 2005.

日頃のスキンシップで2㎝未満のうちに発見を

1才までの不妊手術に一定の効果はありますが、手術をしていても乳がんが発生する場合もあり、完全に予防する方法はありません。そのため、何より大切なのは早期に発見し、治療すること。飼い主さん自身が猫の乳腺を定期的にチェックすることが早期発見につながります。

しこりを発見した場合、「もう少し大きくなるまで様子を見よう」というのは禁物です。2cm未満の大きさで発見できるかどうかが、その後の生存期間に影響します。小さなしこりでも自己判断せずに、見つけたらすぐに動物病院で検査を受けましょう。

➡乳がんチェックマッサージの方法はp.40へ

乳がんにはいろいろな形がある

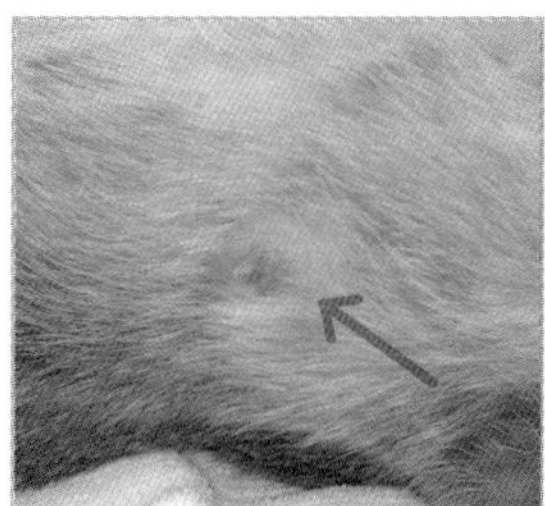
丸みを帯びたもの

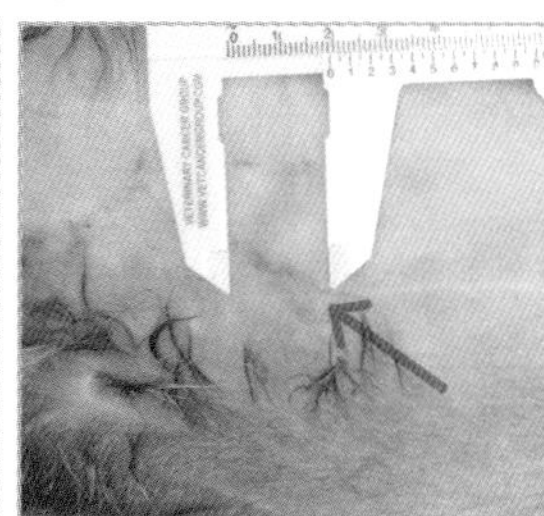
平らなもの

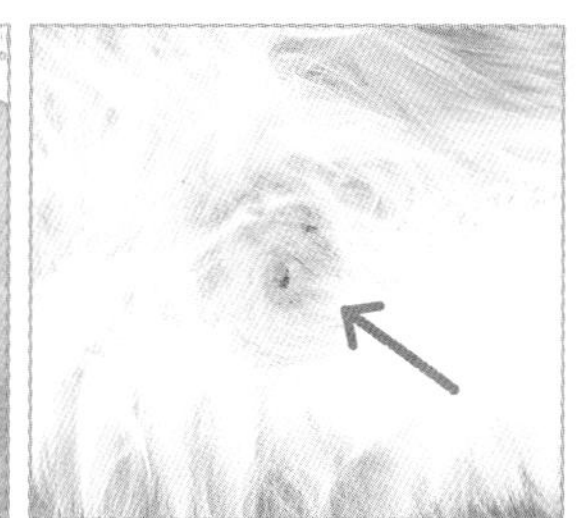
毛に埋もれたもの

乳がんチェックマッサージ

目安は月に1回、猫とスキンシップをしながらチェックしましょう。

Start

1 猫を膝で挟むようにして仰向けにします。仰向けが難しければ、胸からおなかが十分に触れる体勢であれば大丈夫

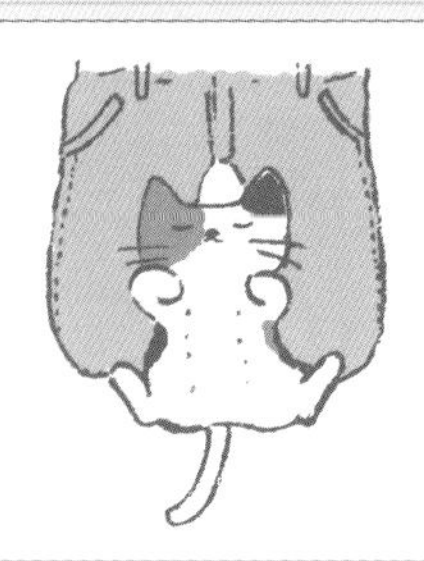

2 8つあるおっぱいの周り、わきの下から足の付け根まで、広い範囲をチェックしていきます

3 少しつまむように優しくマッサージします。長毛の猫は毛に埋もれているので、探しながら行います

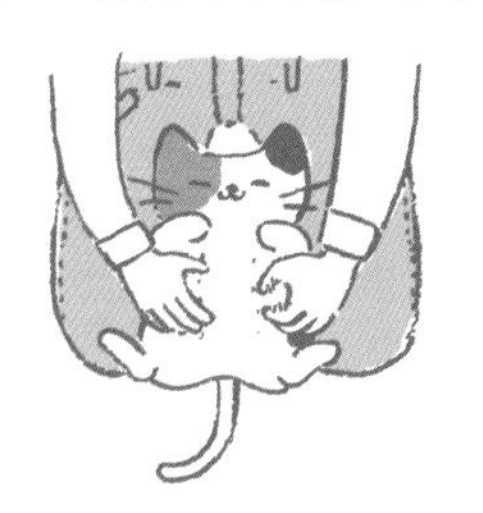

4 上から下に向かって、右側、左側と、もれなくチェックします

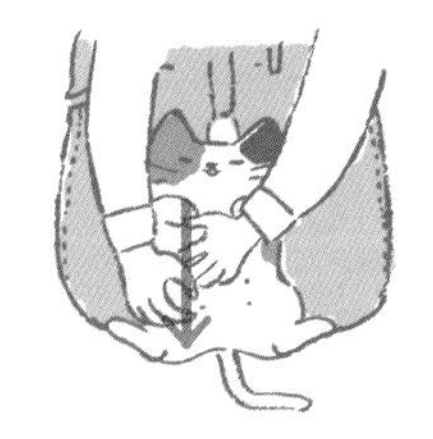

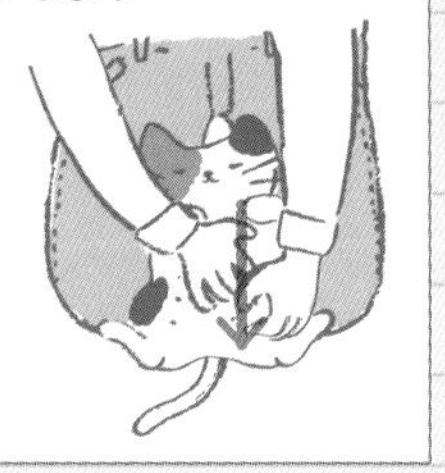

猫のストレスにならないよう、途中で嫌がったら、続きはまた次回に

Finish

出典：キャットリボン運動 公式サイト https://catribbon.jp/

検査・診断法は?

まずは細胞診検査で調べる

腫瘍の良悪を確認するために、まずは細胞診検査を行います。その結果、乳がんと診断された場合は、さらに血液検査、尿検査、X線検査、超音波検査、リンパ節の針生検などを用いて、転移の有無、腫瘍の広がりなどを調べます。

治療法は?

乳腺の片側・両側を切り取る外科療法が基本

猫の乳がんの治療は、乳腺の片側(1列)または両側(2列)とリンパ節をすべて切り取る手術が基本です。猫の乳腺は、リンパ管と呼ばれるネットワークで繋がっています。腫瘍が存在する乳腺のみを切除する乳腺切除や乳腺領域切除(図3)では、再発や転移リスクが高く、根治が困難となります。また、最近の研究で、片側切除よりも両側切除のほうが、生存期間が長くなる可能性が出てきました。

「小さなしこりのために乳腺すべてを切り取るほどの大きな手術をするのはかわいそう」と感じるかもしれませんが、一時の感情のみで判断せず、手術の効果について正しい知識をもちましょう。

図3 再発や転移を防ぐためには、少なくとも片側の乳腺全部を切除

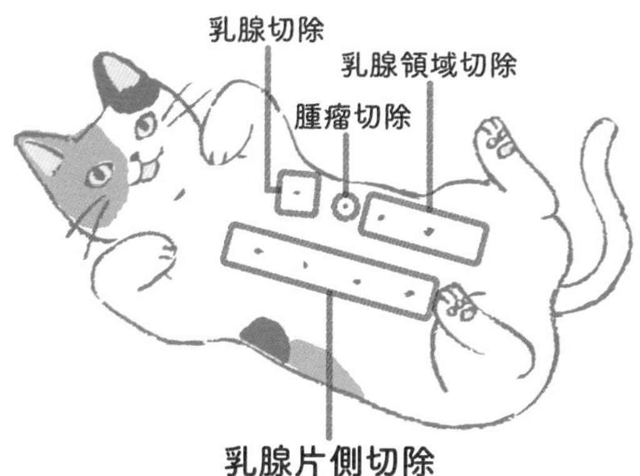

両側の乳腺を切除した猫

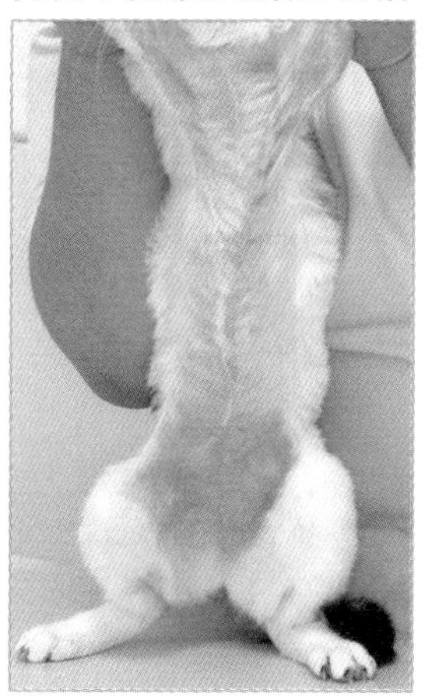

片方ずつ2回にわけて両側の乳腺を切除しました。手術後、化学療法を実施

手術後に補助的に化学療法を行うことも

乳がんのごく初期の段階で、転移徴候がない場合は、外科手術だけでも長生きできることもあります。一方で、進行している乳がん、腫瘍のリンパ管内浸潤（がん細胞がリンパ管に入り込むこと）やリンパ節転移がある場合には、手術後に化学療法（抗がん作用のある薬剤での治療）が推奨されています。また、様々な理由で手術が行えない場合にも、化学療法が行われることがあります。

乳がんの化学療法に使われる薬の例

※薬の詳細は、p.76~79を参照してください。
持病がある場合など、適応しないこともあります。

- 肺転移が確認される前は、**ドキソルビシン**や**カルボプラチン**などが術後に使用されることが多い
- 肺転移が見つかってしまってからでも分了標的薬**トセラニブ**が効果を示すこともある

乳がんの Point

- 猫の乳腺のしこりは、約8割が悪性腫瘍
- 1才までに不妊手術をすると、乳がんの多くが予防可能
- 定期的に乳腺をチェックし、小さなしこりでもすぐに病院へ
- 2cm未満で見つけられるかが、生存期間に影響する
- 乳がんの手術は、乳腺片側または両側をすべて切除する

知っていますか？

キャットリボン運動

乳がんで苦しむ猫を
ゼロにする。

乳がんは猫の命を奪うこともある病気ですが、その存在や危険性はまだ十分に知られていません。

そこで、日本の獣医臨床腫瘍学の発展を目指す獣医師グループ「JVCOG（一般社団法人日本獣医がん臨床研究グループ）」が2019年9月に立ち上げたのが、乳がんで苦しむ猫をゼロにするプロジェクト「キャットリボン運動」です。

病気で苦しむ猫を少しでも救えるようにと、猫の飼い主さんと獣医師の双方に向けて正しい知識、早期発見のための乳がんチェックマッサージ法、治療法などの情報を発信し、猫の乳がんに関する講演会や無料オンラインイベントを開催しています。

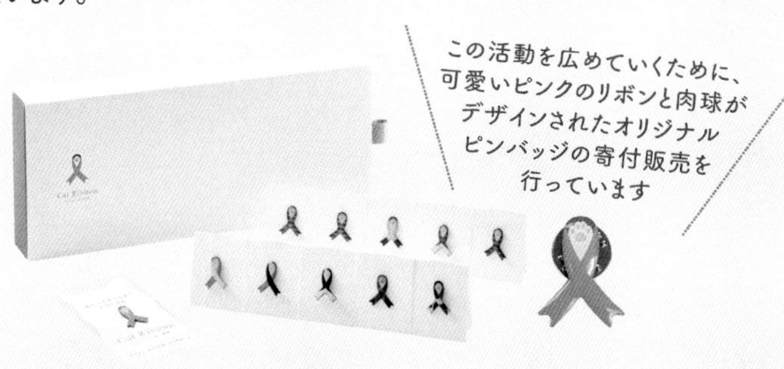

この活動を広めていくために、
可愛いピンクのリボンと肉球が
デザインされたオリジナル
ピンバッジの寄付販売を
行っています

くわしくは
キャットリボン運動　公式サイト
https://catribbon.jp/
Twitter @Catribbon1022
Instagram @catribbon

リンパ腫（リンパ肉腫、悪性リンパ腫）多くのサブタイプがあるリンパ球のがん

近年できやすいのは… 消化管 鼻腔内 など

どんな病気？

体のどこにでもできる血液細胞のがん

リンパ腫は乳がんと並び、猫に多く発生する悪性腫瘍の一つで、血液細胞のがんです。体の免疫システムを担う白血球の一種、リンパ球が腫瘍化し、体のどこにでも発生する可能性があります。リンパ腫の多くは体腔内にできますが、体の表面のリンパ節に発生するタイプのリンパ腫は、体表リンパ節（図1）に腫れが見られます。

発生部位などの分類で悪性度や治療法が違う

「リンパ腫」と一口に言っても様々なタイプがあります。どのタイプのリンパ腫かによって検査方法、悪性度、予後、治療法が大きく違ってくるため、これらの分類（p.45〜46 表1〜表3）はとても重要です。

図1 猫の体表リンパ節の位置

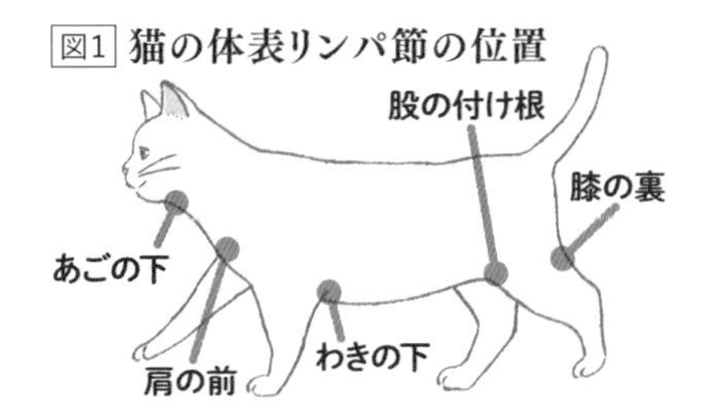

猫のリンパ腫の分類法はおもに3つ

- **リンパ腫の発生部位による分類** 表1
  消化器型、鼻腔内型など
- **細胞の形態による分類** 表2
  大細胞性、小細胞性、
  大顆粒リンパ球性リンパ腫など
- **リンパ球の種類による分類** 表3
  T細胞性やB細胞性など

長生きできるタイプのリンパ腫もある

一般的に、リンパ腫は治療をしなければ急速に進行し、余命が短いと言われる病気ですが、中には進行が緩やかで、治療によって長生きできるタイプのリンパ腫（一部の小細胞性リンパ腫⇒p.47 など）もあります。適切な治療を行うためにも、検査で正確に診断することが大切なポイントになります。

猫のリンパ腫の分類法（表1～表3）

表1 リンパ腫の発生部位によるおもな分類

分類名	発生する部位	病気のサイン・特徴	年齢の中央値	猫白血病ウイルス（FeLV）陽性率
消化器型	胃や腸、空腸リンパ節など	嘔吐や下痢、食欲不振、体重減少など ※最近の猫のリンパ腫で最も多いタイプ ➡p.46	10～13才	ほとんどなし
縦隔型	心臓の前方にある縦隔リンパ節、胸の中	呼吸困難、口を開けて呼吸をする、咳、体重減少、元気がない、嘔吐、胸水がたまるなど	2～4才	高
多中心型	全身のリンパ節	体の表面のリンパ節が腫れるなど。症状が出ないことも多い ※犬では最も多いが、猫では少ないタイプ	3～4才	中～高
腎臓型	腎臓	体重減少、食欲不振、多飲多尿、脱水など	9才	低
脊髄型	脊髄	後肢の麻痺など	4～10才	低
鼻腔内型	鼻腔内	鼻汁、呼吸音が大きくなる、鼻血、顔面の変形など ※最近は消化器型に次いで多いタイプ ➡p.48	9～10才	低

表2 細胞の形態による分類

分類名	悪性度・特徴	別名
大〜中細胞性リンパ腫	一般的に悪性度が高い 通常、急速に進行し、長期生存が難しいことが多い	高グレードリンパ腫 or 低分化型リンパ腫
小〜中細胞性リンパ腫	一般的に悪性度が低い 通常、進行が緩やかで、治療により長生きが可能なことも多い	低グレードリンパ腫 or 高分化型リンパ腫
大顆粒リンパ球性リンパ腫	悪性度が高く、長期生存が難しいことが多い 細胞質に特殊な顆粒(アズール)を有している 消化器に発生することが多い	LGLリンパ腫

表3 リンパ球の種類による分類

分類名
T細胞性リンパ腫
B細胞性リンパ腫

リンパ腫と猫白血病ウイルスの関係

がんは一般的に高齢の猫に多い病気ですが、猫のリンパ腫は猫白血病ウイルス(FeLV)感染症と密接な関係があり、若い猫がかかりやすいタイプもあります。

猫のリンパ腫全体で見ると、以前は猫白血病ウイルス陽性の若い猫がかかりやすい縦隔型や多中心型の割合が多かったのですが、近年、室内飼いやワクチンの普及などによって猫白血病ウイルスの感染率が低下。現在は猫白血病ウイルスとは無関係に発生する、**消化器型**や**鼻腔内型**リンパ腫の割合のほうが増えています(p.47 図1)。

消化器型リンパ腫

消化器の不調を起こす近年に最も多いリンパ腫

胃、小腸や大腸など、消化管に発生する腫瘍。猫のリンパ腫で最近、最も多く見られるタイプです。高齢猫でよく見られ、猫白血病ウイルス陰性の猫に多いのが特徴で、発生すると嘔吐や下痢、体重減少など、消化器の不調を起こします。

消化器型リンパ腫は細胞の形態

図1 猫のリンパ腫のできやすい部位は変わってきている

縦隔型　胃腸管型　鼻腔型　多中心型
肝臓・脾臓型　腎臓型　その他

年							
1991〜93年	69	13	6	13			
2001年	28	40	8	16	4	4	
2011年	4	53	18	3	6	10	6

0　25　50　75　100（%）

情報提供：日本動物高度医療センター 東京病院　辻本元先生

により、おもに3つの分類があります（p.46 表2）。その中でも**小細胞性リンパ腫**は進行がゆっくりで悪性度が低く、治療によって長生きも可能ということがわかっています。ただし、小細胞性リンパ腫は慢性腸炎とよく似ているため、内視鏡検査や場合によっては開腹生検（いずれも全身麻酔が必要）による確定診断（病理組織検査）が必要になります。

このほか、消化器型リンパ腫では、急速に進行し、長期生存が難しいことが多い大細胞性リンパ腫、細胞が特殊で、治療が困難な大顆粒リンパ球性（LGL）リンパ腫も発生します。それぞれ治療法は違います。

消化器型リンパ腫を克服した猫

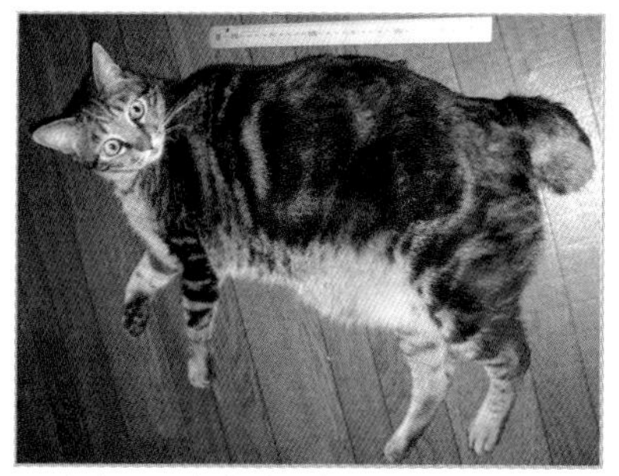

11才（オス・去勢済み）で大〜中細胞性リンパ腫を発症した、小林哲也先生の愛猫ワニくん。外科療法と化学療法を併用し、化学療法をやめてからも8年以上元気に過ごし、22才まで長生きしました

鼻腔内型リンパ腫

消化器型に次いで多いリンパ腫

鼻の奥にできる腫瘍です。猫の鼻の疾患には慢性鼻炎、腺がん、ポリープなどもありますが、鼻腔内型リンパ腫では、鼻水や呼吸困難、鼻血のほか、リンパ腫によって鼻の骨が壊され、顔面が変形することもあります。比較的高齢の猫に多く見られるので、高齢猫で鼻水や鼻血が出たり、いびきをかいたり、呼吸が苦しそうな場合はリンパ腫の可能性も疑います。

鼻腔内型リンパ腫は、ほとんどが中〜大細胞性で、化学療法や放射線療法、また両方をあわせた治療が行われます。

鼻腔内リンパ腫の猫

鼻腔内リンパ腫は、鼻が腫れて顔が変形することも
（左目の少し上が腫れています）

かかりやすいのは？

感染症や、受動喫煙が関係することも

リンパ腫の発生年齢には二つのピークがあります。一つは平均3才の若い猫（猫白血病ウイルス陽性が多い）、もう一つは平均13才の高齢猫（猫白血病ウイルス陰性の猫が多い）です。

また、猫免疫不全ウイルス（FIV。通称「猫エイズ」）に感染すると、リンパ腫の発生率が5倍上昇するという報告もあり、このウイルスもリンパ腫の発生と大きく関わっています。

そのほか、喫煙によるリスクの報告も。飼い主の家族に喫煙者がいる場合、リンパ腫の発生率は2.4倍上昇、また喫煙歴が5年以上の場合、発生リスクは3.2倍上昇するというデータがあります。

予防・早期発見には？

嘔吐や下痢、体重減少でリンパ腫が見つかることも

リンパ腫を完全に予防することは困難ですが、猫白血病ウイルスが影響しているタイプのリンパ腫は、ウイルス感染を防ぐことがリンパ腫の予防にもなります。また猫免疫不全ウイルスもリンパ腫の発生と関係していることがわかっていますので、これらのウイルス陽性の猫と濃厚接触をさせないようにすることが最大の対策となります。

猫のリンパ腫の多くは外から見えないところに発生するため、リンパ節の腫れや外見の変化から飼い主さんが発見するのは困難です。嘔吐や下痢、食欲不振や体重減少などの体の不調で受診してリンパ腫が見つかることも多いので、異変があれば動物病院を受診することをためらわないようにしましょう。

検査・診断法は？

部位やタイプによって検査方法は異なる

一部のリンパ腫は細胞診検査で診断が可能ですが、小細胞性リンパ腫などは、手術で取った組織に対する病理組織検査が必要です。さらに腫瘍の広がり、他のリンパ節への転移などを調べるためにX線検査、超音波検査などを行うこともあります。

また消化器に発生する小細胞性リンパ腫が疑われる場合は、慢性腸炎とよく似ているため、内視鏡検査や開腹生検での診断が必要になります。ほかにも鼻腔内型リンパ腫の場合は頭部のCT検査、脊髄型リンパ腫ではMRI検査が必要になるなど、部位によって検査方法も変わります。

治療法は?

薬剤による化学療法が第一選択

リンパ腫は血液細胞のがんで、診断と同時に全身に広がっていることも多いため、局所治療である外科手術ではなく、化学療法(p.76〜)による全身治療が第一の選択となります。一般的に、リンパ腫は化学療法剤が比較的効きやすいがんとも言われています。薬は単独で使用したり、**プロトコール**(p.76)と呼ばれる薬剤の組み合わせのレシピに沿って使用し、**寛解**(かんかい)(病気の症状を抑えている状態)を目指します。

またリンパ腫は、体重維持が予後に影響することがわかっています。治療中に体重が減らないよう、しっかりと栄養をとることも、重要なポイントになります。

リンパ腫の化学療法に使われる薬の例

※薬の詳細は、p.76~79を参照してください。
持病がある場合など、適応しないこともあります。

- 小細胞性リンパ腫は**クロラムブシル**※1と**プレドニゾロン**(ステロイド剤)
- 大細胞性リンパ腫は通常、第一選択薬として**L-COP**(L-アスパラギナーゼ+COP)または**L-CHOP**というプロトコールが使用されます。
- レスキュープロトコールとして、**ロムスチン**※1などが使用されることがあります。

※1 日本未発売。動物病院での取り扱いは獣医師による個人輸入のみ

鼻腔内型リンパ腫は放射線療法との併用も

鼻腔内型リンパ腫は、放射線療法が有効なことがあります。昔は放射線療法単独で治療されることもありましたが、近年は化学療法単独、放射線療法と化学療法を組み合わせた治療が主体です。

➡放射線療法はp.82〜くわしく解説

鼻腔内型リンパ腫の化学療法での治療経過

Before 初診時

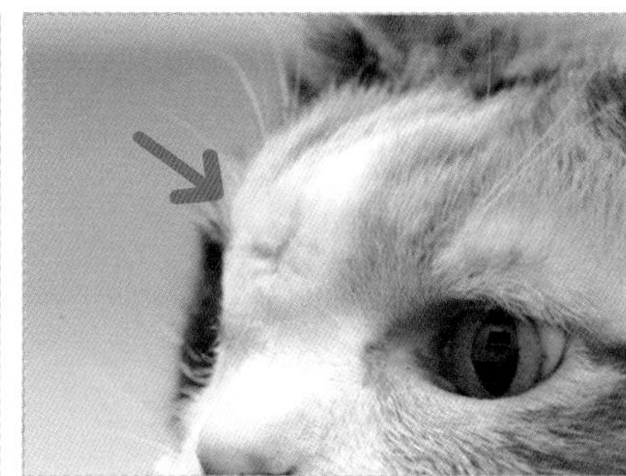

片側からの鼻血で受診し、化学療法のみで治療。右目の上が少し腫れていましたが、治療開始約1カ月後に顔の変形がなくなりました

After 化学療法開始から約1カ月後

リンパ腫の *Point*

- リンパ腫には多くのタイプがあり、タイプによって悪性度や治療法が違う
- 若い猫のリンパ腫の発生には、猫白血病ウイルスが関係していることが多い
- 消化器に発生する小細胞性リンパ腫は、治療によって年単位の長生きが可能なことがある
- 治療には化学療法が第一選択
- リンパ腫の治療中は、体重維持がとても大切

肥満細胞腫（ひまんさいぼうしゅ）
皮膚型と主に脾臓にできる内臓型がある

できやすいのは… 頭、首、耳介、足などの 皮膚 脾臓

どんな病気？

皮膚型と内臓型で経過がまったく違う

肥満細胞腫というと「太っている猫がかかるがん」と連想するかもしれませんが、猫の体型とは関係がありません。肥満細胞とは、アレルギーや炎症反応に関係する細胞で、ヒスタミンやヘパリンなど化学物質の顆粒（小さな粒子）を多く含んでいます。この顆粒が詰まっている細胞の様子が膨れていて肥満を連想させることから、このような名が付けられています。

肥満細胞腫は、肥満細胞が腫瘍化したもので、皮膚にできる**皮膚型**と、内臓（とくに脾臓）にできる**内臓型**に大きくわけられます。同じ肥満細胞腫でも病気の経過が全く異なります。

図1 猫の皮膚・皮下に発生する疾患の比率

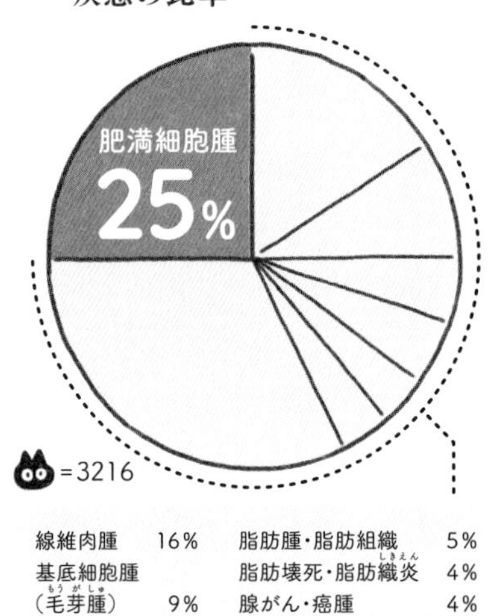

線維肉腫	16%	脂肪腫・脂肪組織	5%
基底細胞腫（毛芽腫（もうがしゅ））	9%	脂肪壊死・脂肪織炎（しきえん）	4%
		腺がん・癌腫	4%
リンパ腫	5%	その他	32%

出典：ノースラボ・データベース2015

皮膚型肥満細胞腫

猫の皮膚のがんで最も多くほとんどは根治が可能

猫の皮膚のがんで最も多いのが、皮膚型肥満細胞腫です（図1）。

頭や首、耳介、足などに多く発生し、硬いイボやしこり状のできものができますが、皮膚型は良性腫瘍のような経過をたどるものが多く、治療によってほとんどは根治可能です。

かゆみが出たり、炎症を起こすなど、皮膚病に見える場合もあり、外見では腫瘍かどうか判断できないことが少なくありません。腫瘍の数や大きさは様々で、1カ所にできる孤立性

（単発性）のものもあれば、数カ所に同時発生する多発性のものもあります。また、被毛に隠れてとても見つけにくい1～2mmの極小のものもあります。

肥満細胞に含まれるヒスタミンやヘパリンは、物理的な刺激によっても放出され、肥満細胞から顆粒が多量に放出されると腫瘍の周囲が赤く腫れてしまうこともあります。できものを見つけたら、なるべく刺激を与えないよう、もんだり擦ったりしないようにしましょう。

様々な皮膚型肥満細胞腫の症例

耳

耳介にポツンとできた肥満細胞腫

首

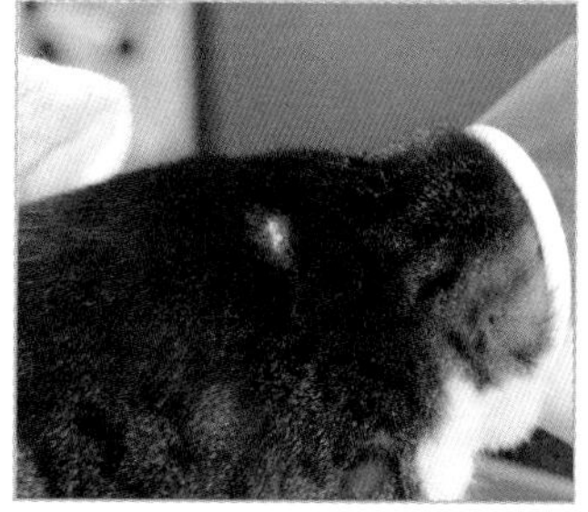

1カ所だけにできる孤立性の皮膚型肥満細胞腫。首の部分にイボ状のできものができています

足の付け根

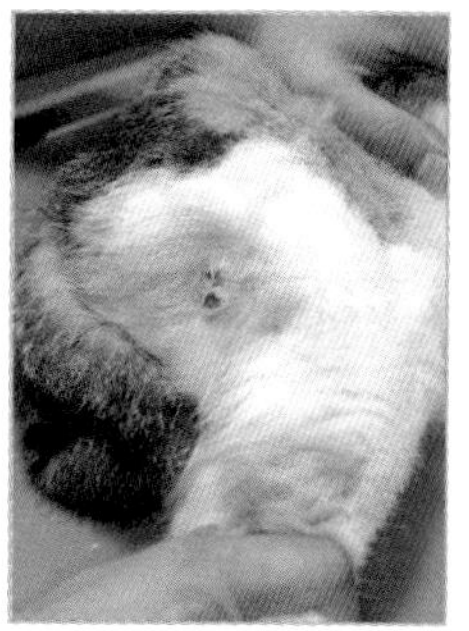

足の付け根にできた孤立性の皮膚型肥満細胞腫

複数の部位

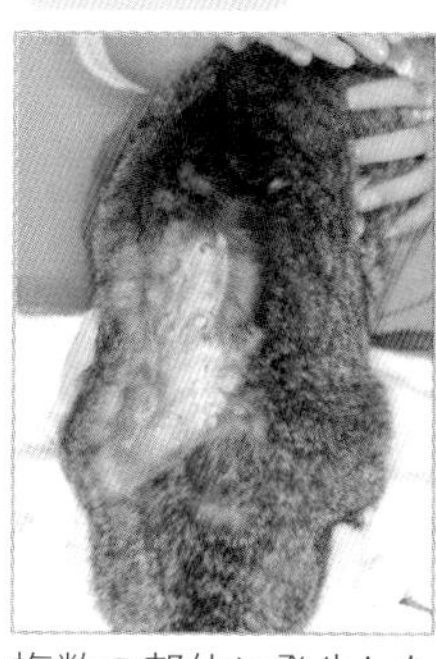

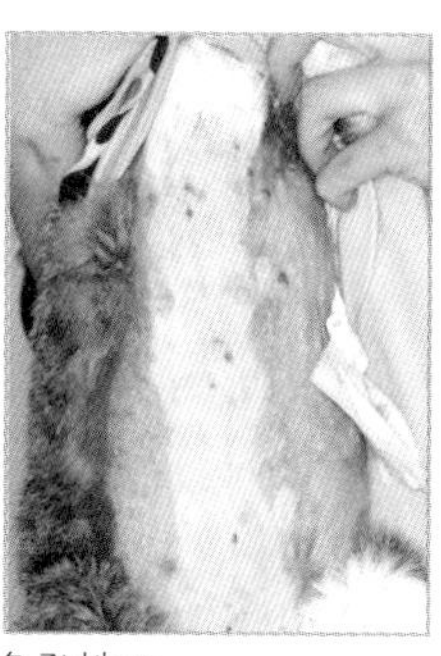

複数の部位に発生した多発性の皮膚型肥満細胞腫

多発性の皮膚型肥満細胞腫が進行した例

内臓型肥満細胞腫

皮膚型よりも早期発見や治療が難しい

内臓型は、脾臓（p.17参照：血液の貯蔵や免疫に関係する、胃のそばにある平たい臓器）に多く発生し、脾臓にできるものを脾臓型とも呼びます。脾臓以外では、まれに腸管（小腸など）に発生するものもあります。

脾臓に発生する腫瘍としては、リンパ腫と並んで多く（図2）、ほとんどが、診断時には通常他の臓器に広がっています。

皮膚型のように外見上のわかりやすい異変がないため、早期発見が難しいのですが、元気消失や食欲の低下、嘔吐や下痢、体重減少が起こることもあります。また、おなかに水（腹水）がたまったり、胸水がたまって呼吸困難を伴うことも。肝臓やリンパ節など、他の臓器へ広がったり、転移する可能性もあります。

図2 猫の脾臓に発生する疾患の比率

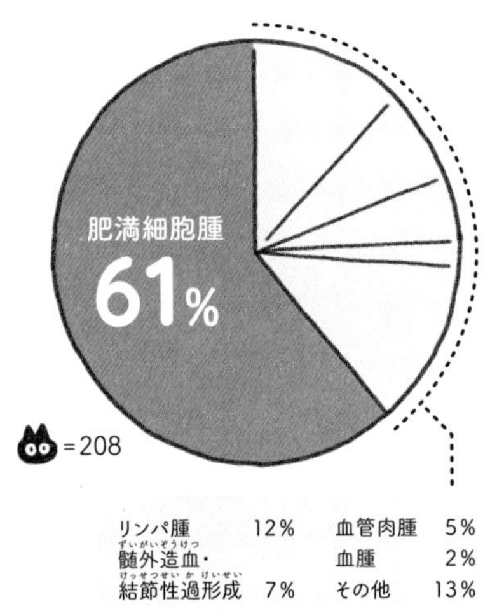

出典：ノースラボ・データベース2015

※この図は病理組織検査で診断された件数によるデータです。リンパ腫の一部は細胞診で診断されるため、実際のリンパ腫の発生比率はこれより高くなる可能性があります。

脾臓原発の肥満細胞腫が転移して皮膚に多発することも

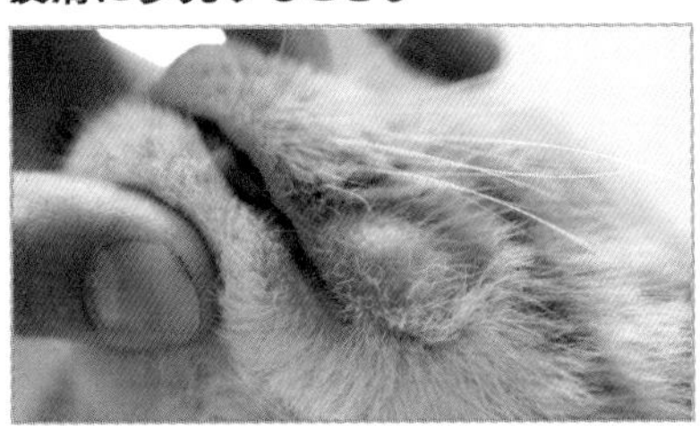

脾臓の肥満細胞腫は、診断時にはほとんどが全身に広がっています。この写真の猫は、体表にできた複数の肥満細胞腫の原因を調べたら、脾臓の肥満細胞腫が見つかりました

かかりやすいのは？

高齢猫がかかりやすく品種ではシャムに多い

発生年齢の中央値は皮膚型が9才、内臓型は14才で、高齢猫に多く見られます。

皮膚型は品種別でシャムでの発生が多いことがわかっています。

予防・早期発見には？

皮膚の小さな異常、嘔吐や下痢を軽視しない

原因がはっきりとはわからないため、予防は難しいことですが、早期発見されれば、根治治療の対象となります。とくに皮膚型の場合は、できものが小さく見落としがちなので、日頃から猫の体を触り、小さなイボやしこりがないかチェックすることが大切です。

また、内臓型肥満細胞腫は、嘔吐や下痢といったサインから見つかることもあります。体重減少を伴うような嘔吐や下痢に気づいた場合は、一見元気そうに見えても、速やかに動物病院を受診しましょう。

「認定医」と「専門医」は何が違うの？

がん治療を受ける際、動物病院で「認定医」「専門医」という言葉を目にすることがあります。どちらも腫瘍のスペシャリストという印象ですが、じつは違いがあります。

「認定医」は、日本国内の獣医療の各学会が定める認定制度です。がんの分野では、日本獣医がん学会の獣医腫瘍科認定医制度があり、筆記および面接試験（Ⅰ種またはⅡ種）を実施しています。一般臨床知識と腫瘍に関する専門知識を備えた臨床獣医師となることを目的としており、試験に合格し、認定された獣医師は「獣医腫瘍科認定医」となります。

一方、「専門医」は、現時点（2021年9月現在）では専門診療が進んだ欧米や、日本を含むアジアでも始まっている、「獣医学専門医」という制度の資格です。専門分野について高度な知識をもち、レジデント（研修医）として数年間経験を積み、難易度が非常に高い試験に合格することが要求されます。2021年現在、がんの分野では、日本に専門医制度がまだ普及していません。そのため、専門医になるには海外にわたって研鑽を積む必要があります。ちなみに、米国獣医内科学専門医（腫瘍学）の資格を取得し、日本で活躍しているがんの専門医は現時点（※2021年）で2名です。

がんの分野の認定医と専門医

わかりやすく言うと…

認定医	専門医
腫瘍が得意な臨床獣医師	腫瘍だけを診療する専門家

検査・診断法は？

細胞に特徴があるため細胞診検査で診断が可能

肥満細胞腫は、細胞に特徴的な顆粒があるため、ほとんどが細胞診検査で診断が可能です。ただし、細胞診だけで判断がつかない場合は、病理組織検査が必要になります。

さらに肥満細胞腫と診断がついた場合、転移の有無や腫瘍の広がりを調べるため、リンパ節の針生検や腹部超音波検査など精密検査を行うことがあります。

治療法は？

皮膚型も内臓型も外科手術が第一

皮膚型、内臓型ともに、基本的に外科手術が効果的で、第一の選択となります。皮膚型で転移がない場合は、腫瘍を切除することで根治が見込め、その多くが良好な経過をたどります。

内臓型に多い脾臓の肥満細胞腫は、脾臓の摘出手術を行います。たとえ他の臓器に転移が認められていても、原発（最初にがんが発生した部位）である脾臓の摘出によって、比較的長期間生存できることがわかっています。

足先にできた肥満細胞腫を手術で切除した猫

8才のときに皮膚型肥満細胞腫と診断されたしっぽちゃん。腫瘍を切除し、15才の現在も再発することなく元気に過ごしています

手術が行えない場合は薬剤での化学療法も

すでに広範囲に転移が見られたり、外科手術が第一選択にならないような肥満細胞腫に対しては、化学療法が行われることがあります。また、一部の脾臓型でも、外科手術後に化学療法を行うことがあります。

肥満細胞腫の化学療法に使われる薬の例

※薬の詳細は、p.76~79を参照してください。
持病がある場合など、適応しないこともあります。

- **プレドニゾロン**などのステロイド剤
- **ビンブラスチン**や**ロムスチン**※1など
- **トセラニブ**などの分子標的薬

※1 日本未発売。動物病院での取り扱いは獣医師による個人輸入のみ

肥満細胞腫の *Point*

- 皮膚型が大部分で、脾臓や腸管などにできる内臓型もある
- 転移がなければ、皮膚型の多くは外科手術で根治可能
- 皮膚型のできものは皮膚病やイボと似ていることがある
- 脾臓の肥満細胞腫は、他に転移が認められていても脾臓摘出が延命につながることもある
- 一部の脾臓型は、術後に化学療法を行うことがある

扁平上皮がん（へんぺいじょうひ）
口の中にできるがんで最も多い

できやすいのは… 口の中 耳 鼻 まぶた など

どんな病気？

口腔内にできるタイプは治療が難しいがんの一つ

扁平上皮がんは、皮膚や粘膜を構成する扁平上皮細胞が腫瘍化した悪性腫瘍。皮膚や粘膜のどこにでもできる可能性があります。

猫の場合、耳の先、鼻、まぶたなど顔面の皮膚と、口腔内（口の中）に発生しやすく、口腔内にできる腫瘍では最も多いがんです（図1）。

口腔内の扁平上皮がんは、転移率はそれほど高くありませんが、浸潤性（周囲への広がり）がとくに強く、猫のがんの中で最も治療が難しいものの一つとされています。

皮膚の扁平上皮がん

かさぶたに似たものがいつまでも治らない

白い猫の耳の先など、色素が薄い部分によく見られます。耳にできた扁

図1 猫の口腔内に発生する腫瘍の比率

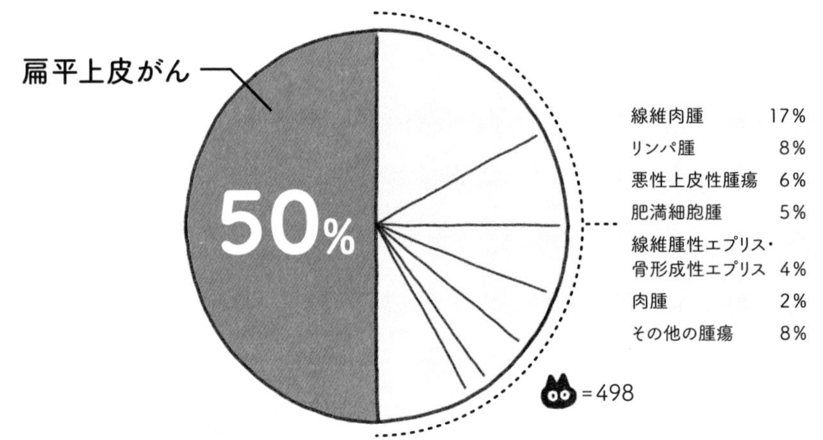

出典：ノースラボ・データベース2015

平上皮がんは、進行すると耳の先端が欠けてしまうことも。ほかにも鼻表面やまぶたなど皮膚の薄い部分に発生し、カサカサしたり、かさぶたのようなものができたりします。皮膚炎にも似ていますが、いつまでも治らないのが特徴です。次第にただれたり、えぐれ始めたりして、おかしいと思って受診すると扁平上皮がんと診断されることもあります。

皮膚の扁平上皮がんが発生しやすい部位

耳

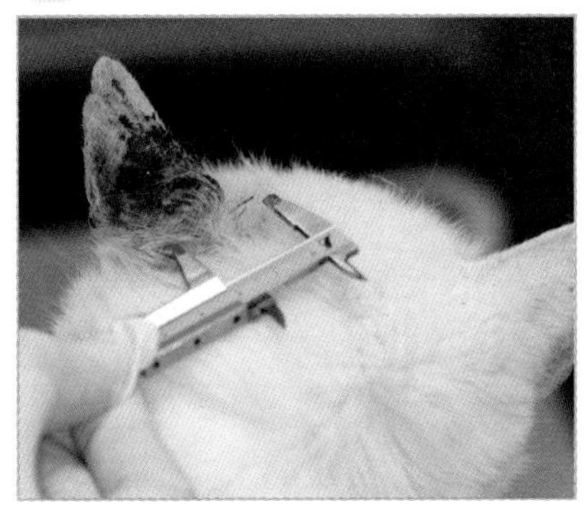

左耳の耳介の扁平上皮がん

まぶた

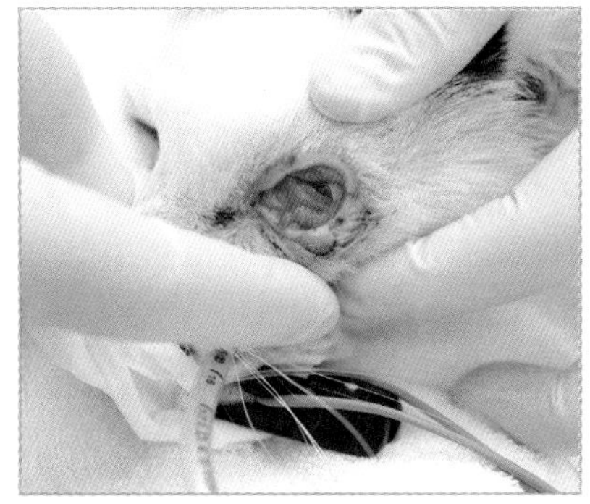

左下まぶたと結膜の扁平上皮がん

鼻の表面

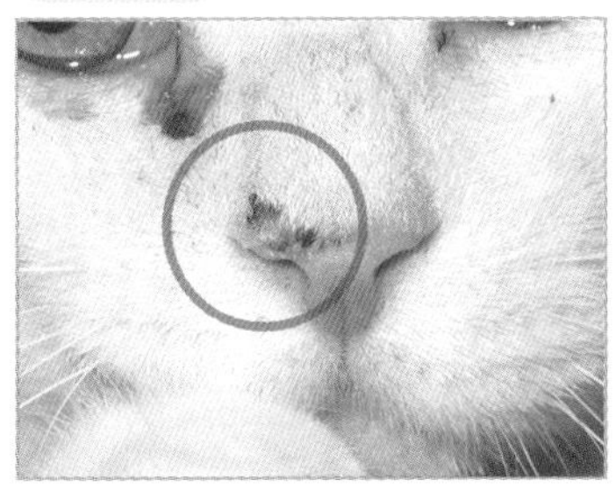

初期の段階はかさぶた状のできもの

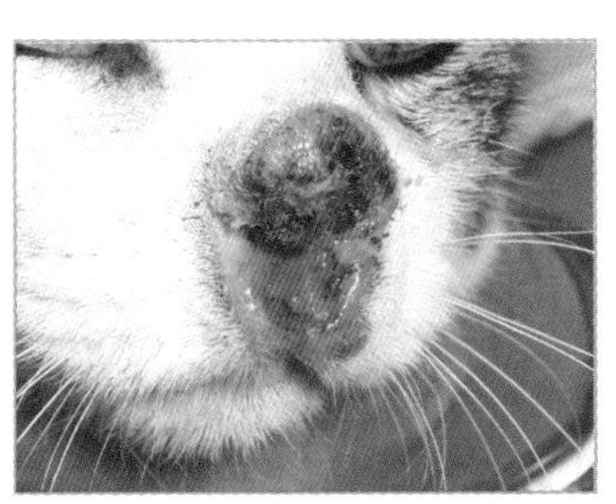

ただれ始めている進行期

口腔内の扁平上皮がん

口内炎と似ているが1カ所のみにできる

歯肉や歯槽粘膜、舌や舌下、唇やほおの粘膜などに、初期には口内炎に似た病変が発生します。歯の周りに発生するものは、初期は歯のぐらつきが起こり、進行するとただれてジュクジュクした潰瘍になり、出血を伴うことも。猫の口内炎は左右対称性に潰瘍が多発しやすいのですが、扁平上皮がんは1カ所のみに限局してできることが特徴的。病気の進行に伴い、出血や痛みで食べることが困難となり、体重が減少し始めます。

また、おもに下顎骨（下あごの骨）から発生した顎骨(がくこつ)中心性の扁平上皮がんは、下顎骨が腫れたり変形したりして、顔面の形が左右非対称に見えることもあります。

口腔内の扁平上皮がんの症例

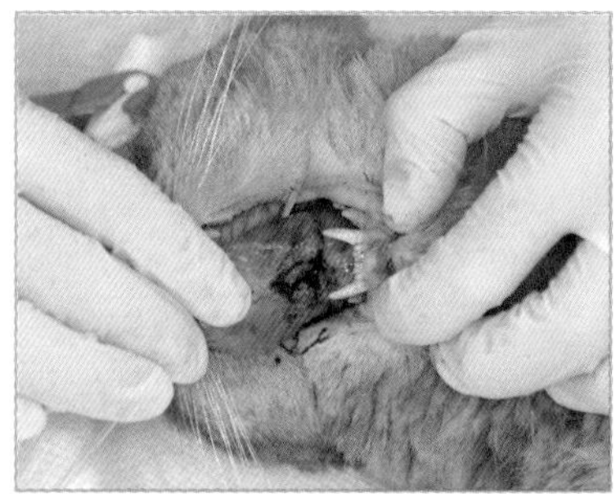

口腔内の粘膜にできた扁平上皮がんは、初期には口内炎にも似ていることもあります

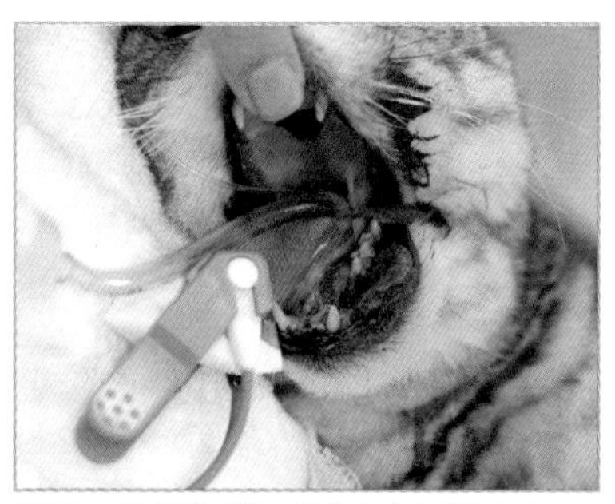

舌下〜歯槽粘膜に発生した扁平上皮がん。強い痛みと出血があります

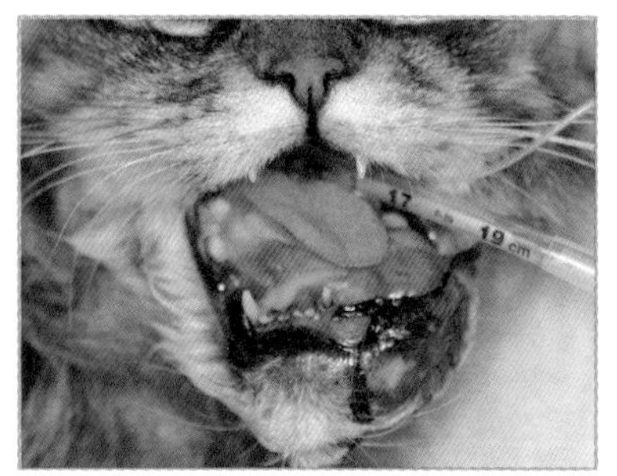

あごにできる顎骨中心性の扁平上皮がんは骨から発生し、下顎骨を変形させてしまいます

かかりやすいのは?

口腔内にできるタイプの多くは高齢で発生

皮膚の扁平上皮がんは、長時間日光の紫外線を浴びることが影響していると考えられています。そのため色素の薄い、ひなたぼっこが好きな白い毛の猫に多い傾向があります。

一方、口腔内の扁平上皮がんの発生年齢の中央値は14才で、毛色や品種によるかかりやすさはありません。アメリカでは、ツナ缶などの缶詰フードを食べる猫に多いという報告もありますが、日本国内での詳細は不明です。

予防・早期発見には?

できものを見つけたら受診し、早期治療を

扁平上皮がんを予防するのは難しいことですが、早く見つけることで早期治療が可能になります。

顔周りの皮膚になかなか治らないかさぶたがないか、日頃からよくチェックをしましょう。

また、口腔内のできものは、見た目で腫瘍か口内炎かを判断するのは困難です。悪性のものでなくても、口の中にできものができると食欲不振につながるので、放っておかずに動物病院へ。

検査・診断法は?

病理組織検査で確定する

細胞診検査で腫瘍かどうかを調べることもありますが、通常は、組織の一部を切り取って、病理組織検査で確定します。また、骨への浸潤や転移がないか調べるため、X線やCT検査などの精密検査を行うこともあります。

治療法は?

皮膚に発生したものは外科手術が第一の選択

皮膚に発生したものは、転移や周囲への浸潤がなければ、外科手術で完全に切除するのが第一です。顔面に発生した扁平上皮がんは、最近では電気化学療法(p.80)という治療法が使われることもあります。口腔内に発生した扁平上皮がんは、手術単独での根治は非常に困難で、放射線療

法と組み合わせることもありますが、長期間の延命は厳しいものとなってしまいます（p.63コラム参照）。

ただし、扁平上皮がんが下あごに発生した場合は、下あごを広範囲に切除することによって年単位の延命が可能になった例も報告されています。下あごや舌をまるごと切除するため、見た目が大きく変わり、生涯にわたって栄養チューブ（p.92〜）が必要になるなど、飼い主さんの精神的、物理的な負担も大きくなりますが、少しでも長生きしてほしいという願いに応える選択肢の一つとなります。

**下あごの扁平上皮がんは、
下あごを全部切除することで
延命が可能な場合も**

自力で食事ができなくなるので、胃ろうチューブ（p.93）で栄養をとります。舌がなくなり、口が開いた状態になるため、口の中の乾燥や汚れのケアなど、日々の定期的なお手入れも必要です

12才のときに下あご全摘出手術を受けたキャラくん。術後17カ月間を過ごしました

補助的な治療や痛みの緩和に放射線療法

口腔内の扁平上皮がんでは、手術後の補助的な治療や、単独での治療として放射線療法を行うことがあります。また、痛みの緩和を目的に、皮膚や口腔内の扁平上皮がんに対して緩和放射線療法を行うこともあります。ただし、他の悪性腫瘍と比べ、猫の扁平上皮がんに対する放射線療法の効果は低いと考えられています。

➡放射線療法はp.82〜くわしく解説

分子標的薬が一部で効果を示す報告も

猫の扁平上皮がんは、化学療法に抵抗性を示す（効きにくい）ため、一般的な化学療法単独で治療することは通常ありません。

ただし、分子標的薬のトセラニブ（p.77）が、猫の口腔内の扁平上皮がんの一部に効果を示す可能性が、近年報告されています。

扁平上皮がんの化学療法に使われる薬の例

※薬の詳細は、p.76~79を参照してください。
持病がある場合など、適応しないこともあります。

・分子標的薬のトセラニブ単独、あるいはトセラニブと非ステロイド性抗炎症剤（略称：NSAIDs（エヌセイズ）⇒p.88）のメロキシカムを併用

扁平上皮がんのPoint

- 口の中にできる腫瘍の中で、最も多い
- 初期には口内炎と似ていて、見分けがつかないことがある
- 皮膚にできるタイプは、白い被毛をもつ猫に多い
- なかなか治らない顔面のかさぶたは、扁平上皮がんも疑う
- 下あごに発生した場合は、下あごの全切除で長期生存が可能なこともある

口腔内の扁平上皮がんは緩和治療が大切

口腔内の扁平上皮がんは悪性度が高く、見つかったときにはすでにがんが進行していたり、切除しきれない部位だったり、様々な理由で手術を諦めざるをえないケースも多くあります。その場合は、積極的な治療ではなく次のような緩和治療を行います。

➡ 緩和治療はp.87～くわしく解説

痛みの緩和

とくに口腔内の扁平上皮がんの緩和治療で重要です。がんによる痛みを緩和するための鎮痛剤の投薬を行います。一般的な鎮痛薬はNSAIDsですが、モルヒネ（p.88）が用いられることもあります。

出血のケア

がんが進行すると、腫瘍が自壊・潰瘍して出血することも。猫が自分で患部を掻かないようにエリザベスカラーを装着したり、被毛が汚れないよう、術後服を着せるなど、猫の病状に合わせたケアの工夫が必要になります。

注射部位肉腫(ちゅうしゃぶいにくしゅ)
注射部位に発生するがん

できるのは… 肩甲骨の間 後ろ足 首 背中 臀部 など 注射を打つ場所

どんな病気？

腫瘍の根っこが深く周囲に広がりやすい

ワクチン接種など、過去に注射を打ったことのある部位に発生する悪性腫瘍（肉腫）の臨床診断名です。以前は「ワクチン接種部位肉腫」と呼ばれていましたが、ワクチン以外の注射薬剤でも発生することがわかってきたため、現在は「注射部位肉腫」と言われています。注射後に腫瘍が発生するまでの期間は4週間〜10年間と幅があることが報告されており、直近に打った注射が原因とは限りません。

注射を打った部位が炎症を起こしたり、硬いしこりができ、次第にこぶのように成長して巨大化することもあります。また、表面には見えませんが、腫瘍の根っこが深く、周囲に広がりやすいのが特徴です（図1）。手術の際は広範囲に切除しないと腫瘍を取りきれず、再発も多い、やっかいながんです。転移率はそれほど高くありませんが、肺やリンパ節、皮膚などに転移することもあります。

図1 注射部位肉腫の腫瘍の根っこ

注射部位肉腫の猫の症例

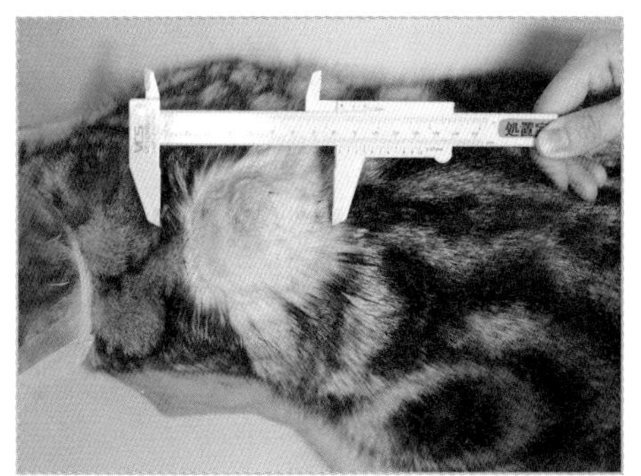

肩甲骨の間にできた
注射部位肉腫

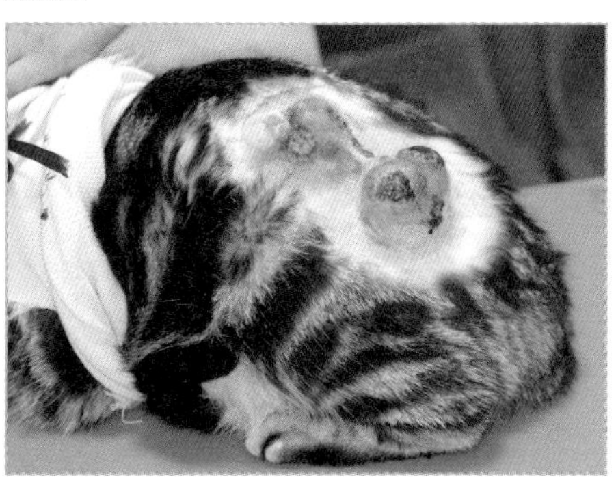

背中から腰にかけて
できた注射部位肉腫

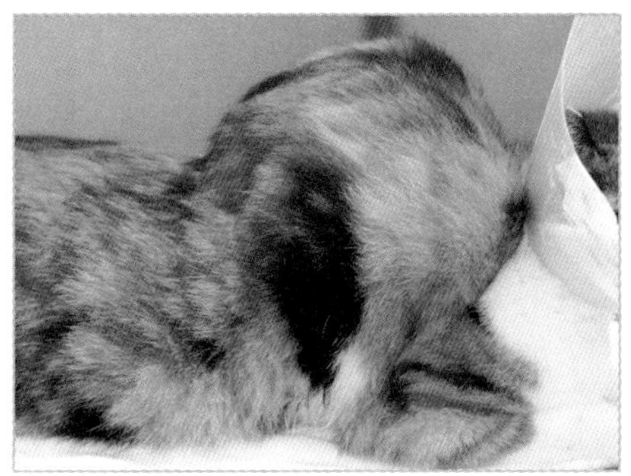

注射部位肉腫が巨大化
して山のようになることも

かかりやすいのは?

診断時に多い年齢は約8才。発生頻度は高くない

診断時の年齢の中央値は8才で、アメリカではワクチン接種をした猫1万匹のうち1〜4匹に注射部位肉腫が発生するというデータもあります。発生頻度としては高くないものの、治療が難しいことも多い、危険ながんです。

何がきっかけとなって発生するのかなど、注射部位肉腫はまだ解明されていない点も多くあります。

予防・早期発見には?

発生のリスクを考慮したワクチン接種の方法も

原因が解明されていないため、完全に予防することは困難です。ただし、アメリカを中心とした獣医師の間では、ワクチン接種の際、注射部位肉腫の予防や発生を考慮した対策がとられるようになっています。世界小動物獣医師会(WSAVA)では、ワクチン接種のガイドラインで、ワクチン接種の方法を次のように推奨しています。

- **従来行われてきた肩甲骨の間を避け、注射部位肉腫になってしまった場合でも広範囲に切除しやすい部位を選ぶようにする。**
- **ワクチンの種類ごとに接種する部位を変え(1部位に1種類)、カルテに接種部位を記録する。**
- **ワクチン(とくにアジュバント※1を含む製剤)は筋肉内ではなく、皮下に接種する。**
- **不必要なワクチン接種を避ける。**

※1 不活化ワクチンの効果を高めるために添加される成分

注射部位肉腫の予防のうえでは、不必要なワクチン接種を避けることも対策になります。例えば、完全室内飼いで絶対に外に出ない(脱走しない)という環境下で猫を1匹で飼っている場合、猫白血病ウイルス感染症ワクチンは必要ありません。また、最近はワクチンを毎年打たなくてもよいと考える指針も出始めています(p.67コラム参照)。

注射部位肉腫のリスクとワクチン接種のメリットをどう考える？

ワクチン接種した部位に腫瘍ができる可能性があるなら、「ワクチンは打たないほうがいいの？」と考えたくなるかもしれませんが、必要以上にワクチンを恐れることはありません。ワクチン接種によって肉腫が発生するリスクと、ワクチンで感染症を防ぐことができるメリットのバランスを考えなくてはなりません。

ワクチン接種の頻度は、その猫の生活環境（完全室内飼い、同居猫の有無、ほかの猫との接触機会の有無など）、感染症の流行地域かどうかなど条件によって違います。自分の猫に必要な頻度、ワクチンの種類をかかりつけの動物病院に相談したうえで受けさせましょう。

ちなみに、世界小動物獣医師会（WSAVA）や全米猫獣医師協会（AAFP）のワクチンのガイドラインでは、子猫期の接種以降、成猫の「コアワクチン」（3種混合ワクチン：猫汎白血球減少症、猫カリシウイルス感染症、猫ウイルス性鼻気管炎）の接種は、3年に1回の間隔で行うことが推奨されています（ただし、完全室内飼いで1匹で生活、ほかの猫との接触がない、低リスクの猫、と定義づけられています）。

このほかに、生活環境や地域に応じて「ノンコアワクチン」（猫白血病ウイルス感染症、猫免疫不全ウイルス感染症、猫クラミジア感染症など）も追加されることがあります。

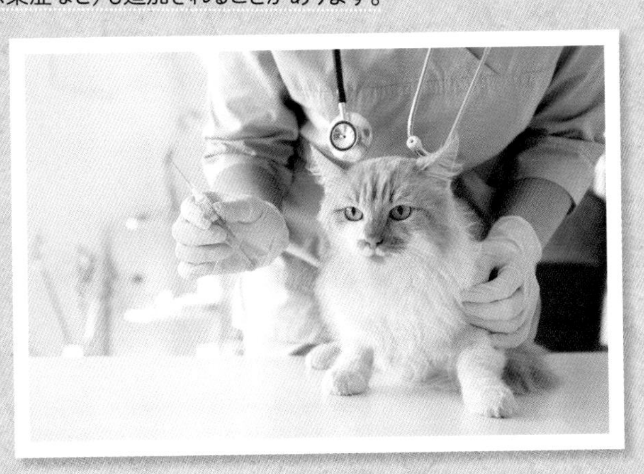

検査・診断法は？

病理組織検査で診断後 腫瘍の広がりを調べる

注射部位肉腫は、注射接種後に起こる炎症性肉芽腫（にくげしゅ）（炎症反応の一つであり、がんではない）に似ているため、できた炎症やしこりが肉芽腫なのか、悪性腫瘍なのかを診断する必要があります。細胞診検査では肉芽腫との鑑別が難しいときもあり、病理組織検査による診断が原則です。

注射部位肉腫と診断された場合は、造影剤を使ったCT検査を行い、腫瘍がどこまで広がっているかを調べる必要があります。その検査の結果で、腫瘍を完全に切除することが可能なのかを見極め、治療計画を立てていきます。

注射部位肉腫を疑う 3つのチェックポイント

ワクチン接種後に注射した部位が腫れた場合、炎症性肉芽腫なら通常1～2カ月後に消えます。しかし、以下の3つのいずれかが当てはまる場合は、注射部位肉腫が疑われます。獣医師の間では、病理組織検査が必要な「3・2・1ルール」として提唱されています。飼い主さんも注意して確認しておきましょう。

3・2・1ルール

しこりが**3カ月以上**経ってもなくならない。

しこりの直径が**2cm**以上ある。

1カ月経ってもしこりがどんどん大きくなる。

治療法は？

外科手術で正常組織ごと広範囲に取り除く

手術で腫瘍を完全に取り除くことが第一の選択です。浸潤性が高いため、手術では腫瘍の周りの正常組織ごと広範囲に切除することになります。具体的には腫瘍の端から水平方向に5cm、垂直方向に筋層2枚の余裕を含めた**外科マージン**（p.74）が必要とされる場合もあります。外科マージンの確保は、注射部位肉腫の治療の成功を握る大切なポイントです。

手術のみでは完全切除が難しい場合は、放射線療法や化学療法を組み合わせた集学的治療が行われることもあります。

手術の補助的な役割で放射線療法や化学療法も

手術後の補助的な治療として、放射線療法を手術前、あるいは手術後にあわせて行うこともあります。また、手術後に悪性度の高い注射部位肉腫とわかった場合、補助的な化学療法剤を投与することもあります。

注射部位肉腫の切除をした猫

➡放射線療法はp.82～くわしく解説

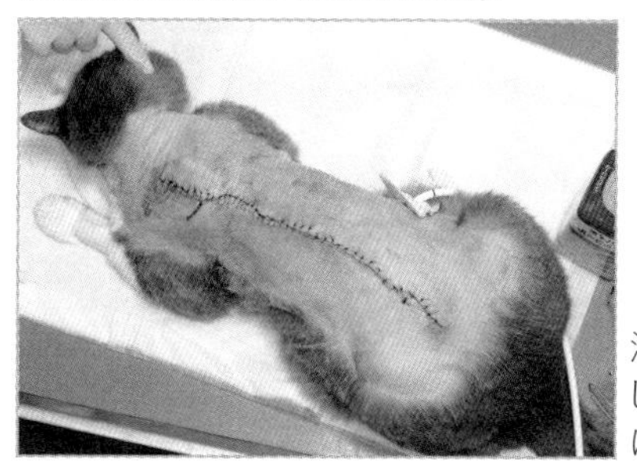

注射部位肉腫を発症し、外科手術で広範囲に切除したケースです

注射部位肉腫の *Point*

- **注射部位に発生する肉腫の臨床診断名である**
- **初期には、炎症性のしこりとよく似ている**
- **注射を打ってから発生するまでの期間に幅がある**
- **腫瘍が広がりやすく、再発も多い**
- **手術では、腫瘍以外の部分も含めて広範囲に切除する（再発予防）**

その他の「がん」…猫肺指症候群（ねこはいししょうこうぐん）

それほど頻繁に認められるわけではありませんが、症状がとても特徴的ながんです

指の腫れから肺がんが見つかることも

猫の肺がんの全身転移の一環として、肺がんの細胞が四肢の指に転移し、指が腫れることがあります。これらの一連の症状を猫肺指症候群と呼びます。猫が足を引きずったり、歩きにくそうにしていたり、足の指を気にしていたりすることに飼い主さんが気づき、検査をして初めて悪性腫瘍が見つかることがあります。

指の腫れは皮膚病やケガと思われがちですが、猫の肺がんが指に転移したときの特徴的な病態でもあることを知っておきましょう。

猫肺指症候群の猫の症例

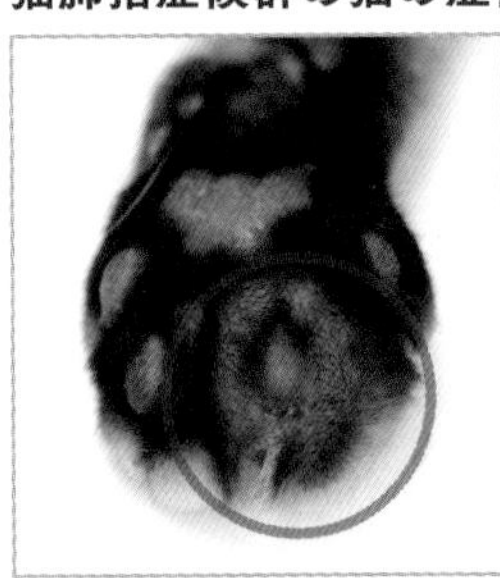

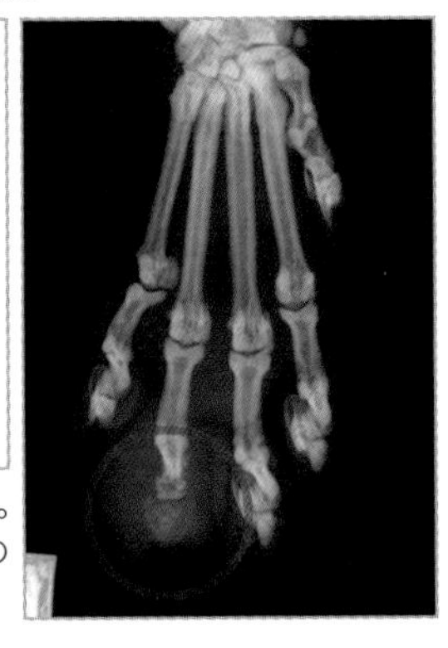

前足の指が腫れています。X線画像では、赤丸部分の骨が溶けています

※ほかにも猫のがんはありますが、がんの治療法の原則は同じです。ここで解説していないがんも、治療法についてはp.71～の4章をご参照ください。

4章

猫の「がん」治療を知る

がん治療の基本は三大治療法

根治治療は外科・化学・放射線療法の三本柱

現在、がんの治療には外科療法、化学療法、放射線療法の3つの代表的な方法があります（p.73 表1）。これらの三大治療法は、がんへの治療効果、安全性について確認されている、根治治療（p.30）の基本です。

どの方法を使用するかは、がんの種類、がんの部位、病気の進行度などによって違いますが、より効果的な治療のために、複数の治療法を組み合わせる**集学的治療**（図1）が行われることもあります。

また、三大治療法は根治治療だけでなく、緩和治療でも用いられます。

➡緩和治療はp.87〜くわしく解説

図1 治療法を組み合わせて行う集学的治療

外科手術だけで取りきることが難しい場合に放射線を照射したり、手術後に化学療法を開始することも。複数の治療法を併用する集学的治療で、より効率的な治療を行います

表1 がんの三大治療法の特徴

療法	効果の範囲	メリット	デメリット	かかる期間や回数の目安	かかる費用の目安 ★〜★★★
外科療法 手術によってがん組織を切り取る	局所	・がんそのものを摘出するので、**短期間で効果が得られる** ・主に固形がんに有効	・通常全身麻酔が必要 ・合併症のリスクがある ・広範囲の切除が必要なこともある ・見た目の変化や体の機能の一部を損なう場合もある	手術時間は腫瘍の大きさによって10分〜半日など	★★ 〜 ★★★
化学療法 抗がん剤などでがん細胞の増殖を抑えたりがん細胞を死滅させたりする	全身	・手術が適用できない**全身性のがんにも有効** ・全身麻酔の必要がない	・単独では根治が難しい ・副作用のリスクがある	薬のプロトコール(p.76)により、数週間〜数カ月など	★ 〜 ★★★
放射線療法 放射線によってがん細胞を死滅させる	局所	・**外科療法単独では根治が難しいがんにも有効**なことがある ・四肢など体のパーツや機能を温存できることがある	・照射可能な施設が限られている ・照射ごとに全身麻酔が必要 ・費用が高額 ・副作用のリスクがある	3〜20回(1週間〜1カ月) ※治療プランによって幅がある	★★★

手術でがんを切り取る「外科療法」

固形がんの根治治療の第一選択

外科療法とは、手術によってがん組織を物理的に切り取る、根治治療の要となる方法です。早期の固形がん（かたまりを作るタイプのがん）であれば、手術のみで根治が可能なこともあります。局所（腫瘍ができている部位）の治療なので、リンパ腫など全身性のがんは対象になりません。

また、根治治療が難しい場合でも、痛みを抑えて症状を和らげたり、体の機能を改善し、生活の質を上げるために、緩和治療の一環として手術を行う場合もあります。

知っておきたい!

再発を防ぐために周囲の正常な組織も切除

がんの種類によっては腫瘍の根っこ（腫瘍の足とも呼びます）が深く、周囲に広がりやすいものもあります。腫瘍をすべて取りきるためには、腫瘍の周囲にある正常な組織を含めて、余裕をもって切除する必要があります。この余分に切除する組織を**外科マージン（切除縁）**と言います（図1）。

猫の小さな体に大きくメスを入れるのはかわいそう、と感じるかもしれません。しかし、手術の際に取り残しがないように適切な外科マージンをとることは、将来の再発を防ぐための重要なポイントなのです。

図1 腫瘍を取りきるための外科マージンのとり方

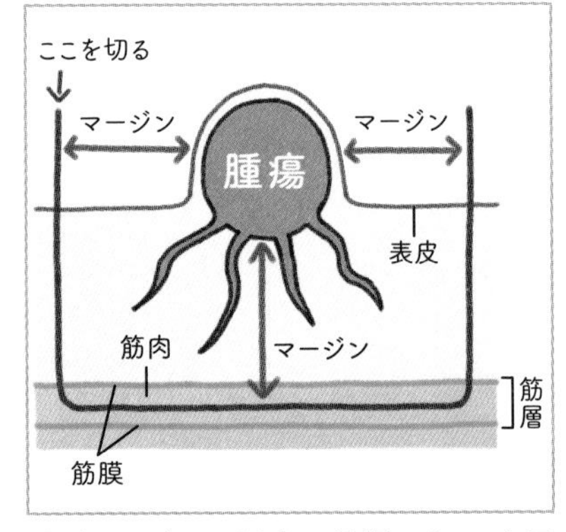

外科マージンは腫瘍の種類によっても異なります。通常は、腫瘍のかたまりから左右2～3cm、下方向は筋膜1枚分の外科マージンをとることが推奨されていますが、注射部位肉腫は腫瘍の足が長く、再発率も高いため、水平方向に5cm、垂直方向に2枚の筋層を含める必要があります（p.69）

二次診療を受けるためには ホームドクターからの依頼が必要

猫の具合が悪いとき、まずはかかりつけの動物病院で主治医（ホームドクター）の診察を受けますが、がんのような病気は、高度な検査や治療を必要とするケースが多くあります。そのようなときは、ホームドクターに、連携している大学病院や高度医療施設などの**二次診療施設**を紹介してもらうことで、専門的な医療を受けられるようになります（飼い主さんが直接二次診療施設を予約することはできません）。

また、二次診療施設を受診した後でも、情報を共有し、かかりつけの動物病院でできる治療はホームドクターのもとで行うこともあります。

獣医療では、広い範囲の医療を提供する一次診療施設と、専門的な医療を提供する二次診療施設が密接に関わり、それぞれ利点をいかしながら治療にあたります。

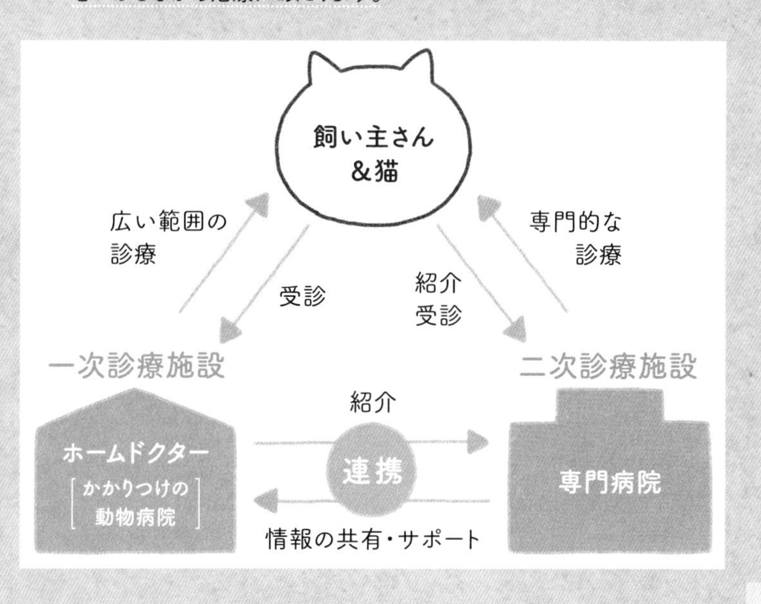

がん細胞を薬で攻撃する「化学療法」

薬剤を効果的に組み合わせて治療

化学療法とは、薬によってがん細胞を死滅させたり、がん細胞が増えるのを抑え込む治療法のこと。**化学療法剤**（抗がん作用のある薬剤）を使った治療です。薬が全身に広がって効果をもたらすため、おもにリンパ腫や白血病など全身性のがんに使用されます。外科療法と放射線療法が限られた範囲の局所療法なのに対して、化学療法は全身療法です。

薬の相乗効果を期待して、複数の薬剤を組み合わせて投与することがあります。効果的な薬の組み合わせ、投与する量、回数には基本のレシピのようなものがあり、そのレシピのことを「プロトコール」と呼びます。

またリンパ腫などでは、第一選択薬の効果が消失した場合、別の薬剤を組み合わせた「レスキュープロトコール」を実施することもあります。

がんの種類や病気の進行度などによって、どのプロトコールを使用するか、どのようなアレンジを加えるかは、様々な条件をもとに獣医師が考えます。

猫のリンパ腫に使用される化学療法プロトコールの例

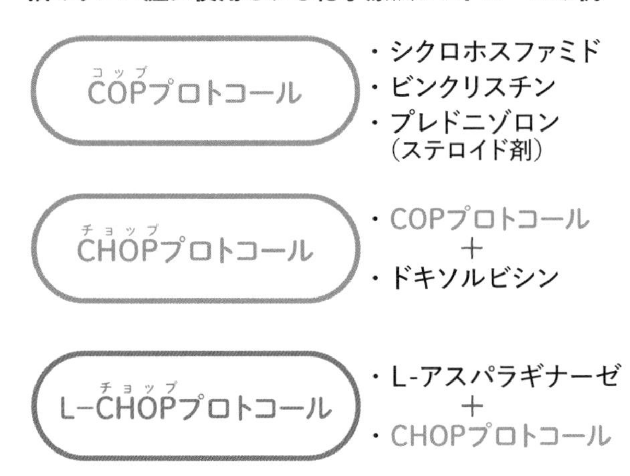

作用の仕方によって化学療法剤は分類される

現在、犬や猫の治療で使われている化学療法剤には、大きくわけると、**細胞障害性抗がん剤**(さいぼうしょうがいせいこう)と**分子標的薬**(ぶんしひょうてきやく)があります（p.78 表1）。

細胞障害性抗がん剤

がん細胞が増える仕組みを邪魔する

細胞障害性抗がん剤は、がん細胞が増える仕組みを邪魔して抑える薬で、作用の仕方によって多数の薬剤があります。がん細胞以外の正常な細胞にも影響を与えるため、副作用が起こることもありますが、症状に合わせた薬剤によって、生活の質が極端に落ちるのを予防します。

分子標的薬

がん細胞の特定の分子を標的にして攻撃する

分子標的薬は、がん細胞の特定の分子（タンパク質など）を標的にして攻撃し、がん細胞が増えないようにする薬です（図1）。一般的に正常な細胞への影響が少ないため、細胞障害性抗がん剤と比較すると副作用が少ないと考えられています。

猫では、イマチニブやトセラニブが使用されています。トセラニブは2014年に認可された犬の肥満細胞腫の治療薬ですが、猫の肥満細胞腫や転移性乳がんなどの治療に用いられることもあります。ただし、猫に対するトセラニブの臨床応用はまだ歴史が浅く、現時点では、効果や副作用などはっきりとはわかっていない部分もあります。

図1 **分子標的薬はがん細胞の特定の分子のみを標的にする**

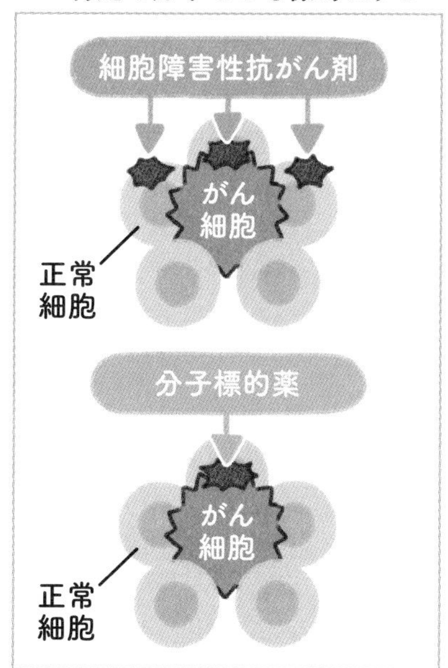

細胞障害性抗がん剤は、がん細胞以外の正常な細胞にも影響を与えてしまいますが、分子標的薬はがん細胞の特定の分子のみを標的にします

表1 猫のがん治療に使用されるおもな化学療法剤の例

薬物の種類・作用	薬剤の分類	薬の一般名
細胞障害性抗がん剤 細胞の分裂を阻害することでがん細胞の増殖を抑える	アルキル化剤	・シクロホスファミド ・メルファラン ・ロムスチン※1 ・クロラムブシル※1 ※1 日本未発売。動物病院での取り扱いは獣医師による個人輸入のみ
	白金製剤	・カルボプラチン
	植物アルカロイド	・ビンクリスチン ・ビンブラスチン
	抗腫瘍性抗生物質	・ドキソルビシン ・ミトキサントロン
	代謝拮抗剤	・メトトレキサート
	抗悪性腫瘍酵素製剤	・L-アスパラギナーゼ
分子標的薬 特定の分子を標的に攻撃し、がん細胞の増殖を抑える	チロシンキナーゼ阻害薬	・イマチニブ ・トセラニブ

知っておきたい!

化学療法剤の副作用は人に比べて激しくない

がんの治療薬というと副作用が心配だと感じるかもしれませんが、猫の場合、人のいわゆる「抗がん剤」でイメージされるような、ひどい吐き気や激しく毛が抜けるということはあまりありません（ドキソルビシンでは脱毛やヒゲの脱落が起こる場合もあります）。

猫に起こる副作用は、骨髄抑制（こつずいよくせい）や胃腸毒性がほとんどです。一方、薬の副作用と思われた症状が、じつはがんの進行によるものだったということも頻繁にあります。副作用を極端に恐れるより、薬によって得られるメリットも前向きに考えてみましょう。

猫に起こりやすい化学療法剤の副作用

●骨髄抑制

薬剤の影響で骨髄が影響を受け、血液細胞を作る機能が一時的に低下します。とくに白血球の中の一つ、好中球が減るため、外敵から身を守る力が弱くなり、細菌の侵入で元気がなくなったり、熱が出ることがまれにあります。

●胃腸毒性

食欲不振、嘔吐・下痢などが起こることがあります。最近は、猫と相性のよい制吐薬が開発されており（マロピタントなど）、嘔吐は起こりにくくなってきています。一方、消化器型のリンパ腫などの一部のがんでは、薬剤の副作用ではなく、病気の進行で吐くことも珍しくありません。

化学療法のTOPIC

薬剤を取り込みやすくする電気化学療法

ヨーロッパで以前から用いられ、最近はアメリカでも導入され始めている治療法に、電気化学療法（ECT）というものがあります。

電気の刺激によって化学療法剤を腫瘍細胞内に取り込みやすくする、化学療法の一種です。

猫には細胞障害性抗がん剤のブレオマイシンを使用し、少量を全身、あるいは局所に投与します。その後、全身麻酔下で、がんの局所に約1000〜1200Vの電気パルスをかけます。すると通常は細胞膜を貫通しにくい化学療法剤が飛躍的に細胞内に取り込まれるようになり（ブレオマイシンでは約700倍）、がん細胞を死滅させるという仕組みです。

日本で実施している施設はまだごくわずかですが、放射線装置のような大がかりな設備が必要なく、治療費用も抑えられる、今後が期待されている治療法の一つです。

猫では注射部位肉腫、肥満細胞腫、皮膚・鼻・顔面の扁平上皮がんなどで効果が報告されています※1。

※1 電気化学療法に関連した論文一覧（犬・猫）
http://kah-vets.jp/services/ect_textbook.html

電気化学療法に使用される機械

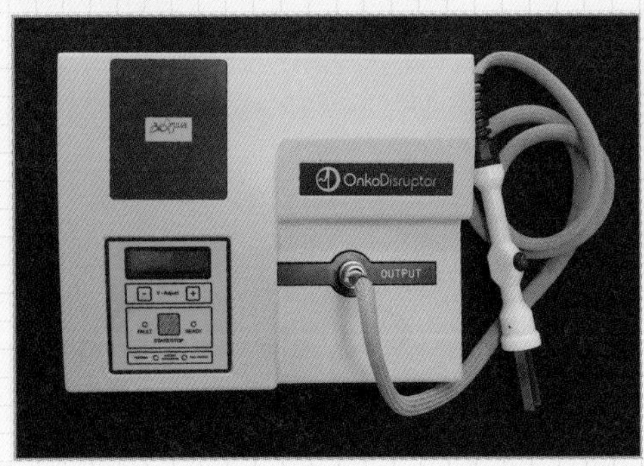

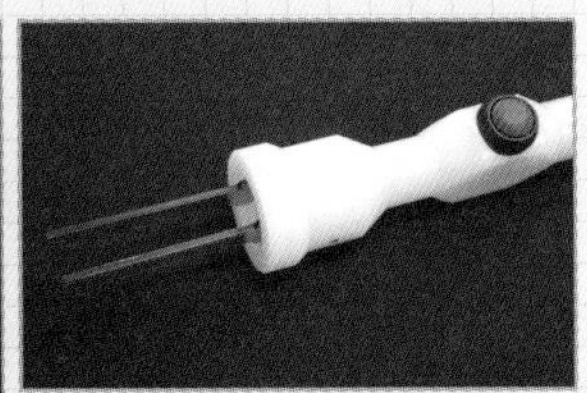

化学療法剤を投与した後、プローブ（右）をがんの局所に当て、電気で刺激を与えます

外科療法＋電気化学療法で治療した眼瞼部の肥満細胞腫の猫

Before

左上まぶたに肥満細胞腫が発生。通常は、がんを完全に取りきるためには眼球と上下まぶたを全切除しなければなりません

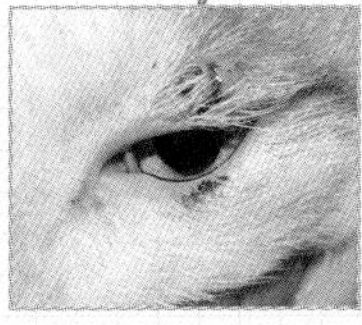

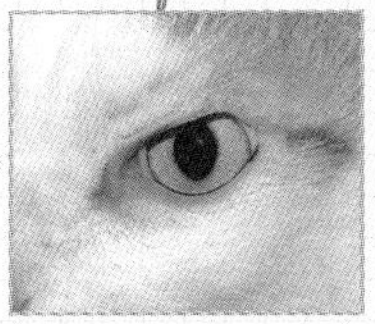

After（術後8カ月目）

眼球を温存した手術の2週間後に電気化学療法を実施。こちらは術後8カ月目の写真ですが、術後1年以上経過しても、肥満細胞腫の再発の徴候はありませんでした

電気化学療法で治療した鼻平面の扁平上皮がんの猫

Before

鼻平面の扁平上皮がんが拡大し、唇まで広がった状態。通常の治療法では、顔面が変形するような大がかりな手術や、約1カ月の治療期間を要する放射線療法となります

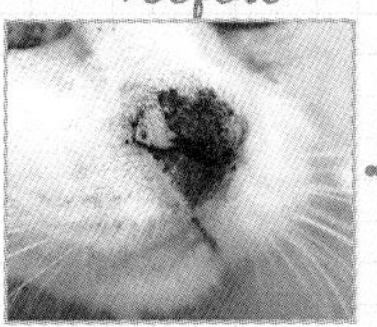

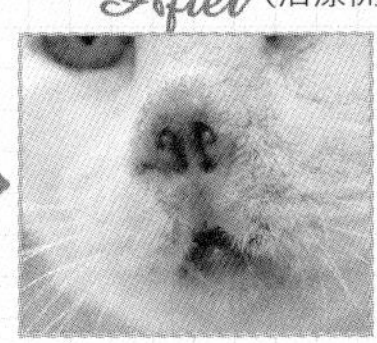

After（治療開始7カ月後）

電気化学療法を選択し、2〜3週おきに合計4回実施。治療開始から7カ月後、日常生活に支障がないレベルまで回復しています

column

免疫療法は第4の治療法？

免疫療法とは、体がもとからもっている免疫の力を利用して、がんを攻撃する治療法の総称です。近年、人の医療でも、がんの三大治療法に続く第4の治療法として認識されるようになりました。

一方、獣医療では、民間療法から真の免疫治療になりうるものまで、様々な情報がインターネット等に飛び交っています。ですが、三大治療法に並ぶほどの効果や安全性が確認されている免疫療法は、残念ながら猫には臨床応用されておらず、現時点（2021年9月）でがんの進行を遅らせたり、生存率を高める効果が科学的に証明され、治療法として確立しているものはありません。

人の医療では、免疫治療の薬として免疫チェックポイント阻害薬が知られ、複数の治療薬が認可されています。犬では免疫チェックポイント阻害薬の開発を目指して臨床試験が行われていますが、猫ではまだこれから始まろうとしているところです。

がん細胞を根絶させる「放射線療法」

手術が難しい脳や鼻、深部の治療ができる

がん組織に放射線を数回～数十回にわけて照射し、がん細胞のDNAに傷をつけて根絶させる療法です。外科療法と同様に局所のがん治療で、手術が難しい脳や鼻の中、手術だけでは取りきれないがんの治療も可能です。外科療法や化学療法とあわせた集学的治療として使用されることもあります（図1）。

また、緩和放射線治療として、根治が難しいがんの痛みを和らげたり、生活の質を上げるために照射することもあります。

動かないように麻酔で保定が必要

放射線療法は、痛みを感じることなく、深部のがんの治療ができるという大きなメリットがありますが、正確に照射するためには猫が動かないよう、全身麻酔が必須になります。麻酔深度（麻酔のかかり具合）が浅く、短時間の麻酔ですが、猫が繰り返しの麻酔に耐えられるか、事前に持病の有無を確認することが大切です。

放射線は正常な細胞も攻撃するので、照射した部位の皮膚に一時的に急性副作用が出たり、数年後に**晩発障害**（ばんぱつしょうがい）（長期間の潜伏期間を経て出る副作用）が見られることもあります。治療の際は、均一に放射線が照射され、またなるべく副作用が軽く済むよう、CT画像を用いて、コンピューターで照射プランを立てます。

放射線療法を受けられる動物病院は限られる

放射線装置は規模が大きく、導入費用が高額なため、どこの動物病院にもあるわけではありません。大学病院や一部の二次診療施設のほか、先端医療を行っている動物病院が中心となります（p.86表2）。

治療を受ける際は、基本的にはかかりつけの動物病院から放射線照射を行っている動物病院を紹介してもらうことになります（p.75コラム参照）。

近くにない場合は、遠方まで通院するか、放射線療法を諦めざるをえないこともあります。一般的に猫は遠距離移動を好みませんし、がんを患った

図1 外科療法と放射線療法を併用してより効果的に

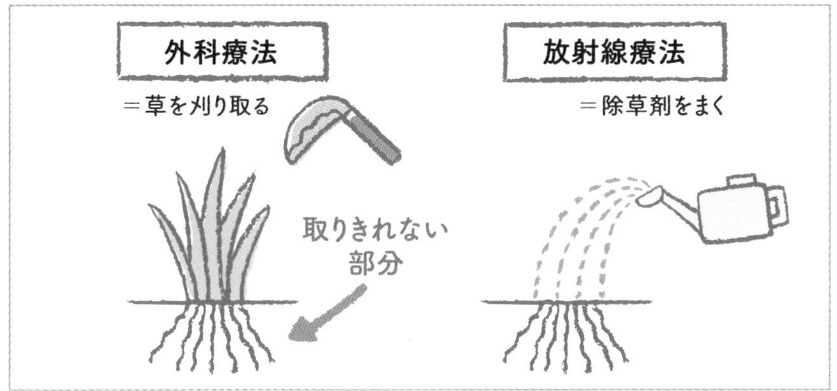

草むしりに例えると、草を刈り取って（＝外科療法）残ってしまった根の部分に除草剤をまき（＝放射線療法）、両方をあわせることで、より効果的に雑草の発生（＝がんの再発）を防ぎます

猫は体もつらい状態にあります。遠方の動物病院を頻繁に受診することに対する猫の体の負担も含めて、獣医師とよく相談しましょう。

また治療プランによっては合計20回近く、連日照射する場合もあり、治療費は数十万～百万円以上になることも。通院や入院の物理的な負担と、経済的な負担の覚悟が必要です。

放射線装置の性能には2タイプある

獣医療で使用されている放射線装置は、放射線装置の電圧の大きさによって、2つのタイプがあります。高エネルギー（1000kV以上）の**メガボルテージ装置**と、常電圧（500kV以下）の**オルソボルテージ装置**です。

メガボルテージ装置

放射線が組織の深部に届きやすい

放射線は、電圧が大きいほど、遠い距離まで照射が可能です。そのため、メガボルテージ装置による放射線療法のほうが組織の深部に届きやすく、かつ均一に照射しやすいというメリットがあります。また皮膚表面にエネルギーが集約しないため、同じ線量を照射した場合、皮膚に起こる副作用を抑えることができます。

メガボルテージ装置は、人の放射線治療装置の現在の主流でもあり、非常に治療効果の高い装置ですが、機器の導入には数億円の費用がかかります。全国的にもまだ限られた動物病院でしか治療を受けられません。

オルソボルテージ装置

保有する動物病院が増えてきている

メガボルテージ装置と比べると放射線の透過力が弱く、骨にも吸収されやすいことから、深部組織まで照射が届きにくいという短所があります。しかし、オルソボルテージ装置での放射線照射は獣医療において長年にわたり行われ、体表の腫瘍などで効果を発揮することもあります。

また、メガボルテージ装置ほど導入費用がかからず、保有する動物病院も近年増えてきています。

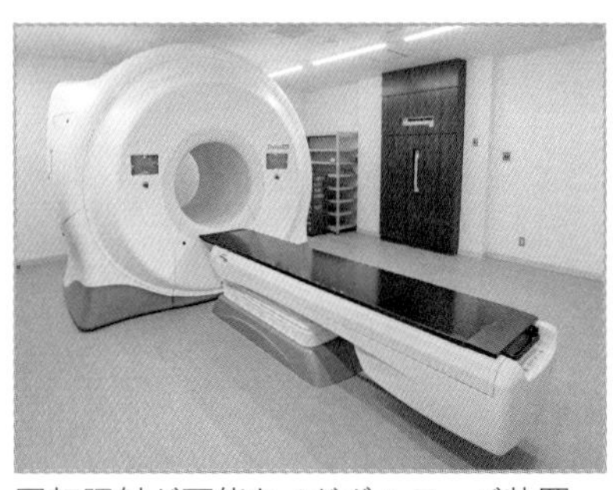

回転照射が可能なメガボルテージ装置
写真提供:日本小動物がんセンター

放射線照射中の猫

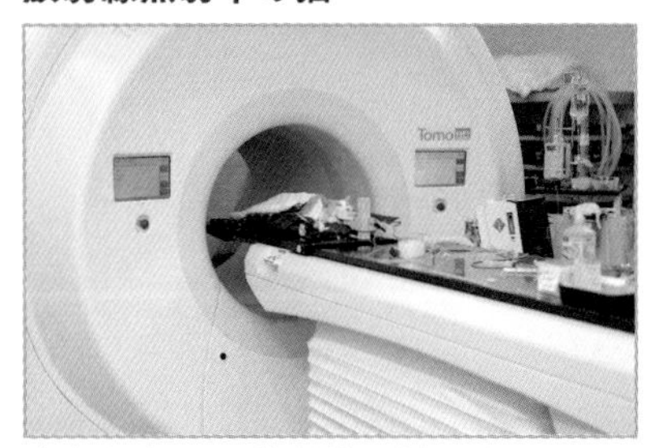

全身麻酔をして放射線照射を受けます

知っておきたい!

根治目的と緩和目的で照射プランが違う

放射線療法は、治療の目的によって照射の方法が違います(表1 図2)。

●根治が目的の場合

1回あたりの放射線量を小さく、多くの回数にわけて照射します。正常細胞への影響が少なく、最大の効果が長期間得られる方法です。

このほかに、メガボルテージ装置では、正常組織への影響を最小限に抑えた「定位放射線治療(SRT)」という方法が可能な場合もあります。1カ所のがんに対し、多方向からピンポイントで放射線を照射する方法で、腫瘍の大きさや部位など、一定の条件を満たしていれば、少ない照射回数で、より効果的に治療することができます。

●症状の緩和が目的の場合

根治治療と違い、緩和目的では1回あたりの放射線量を大きく、少ない回数で照射を行います。痛みを和らげたり、がんによって引き起こされた機能障害を軽減するための照射です。

表1 根治目的と緩和目的で異なる照射方法(例)

治療目的	照射方法	照射回数	頻度	期間	1回あたりの放射線量
根治	根治放射線治療	12〜20回	連日(月〜金)	合計4週間	小
	定位放射線治療(SRT)	1〜5回	連日または隔日	合計1週間	非常に大
緩和	緩和放射線治療	4〜6回	週1〜2回	合計3〜4週間	大

※日本小動物がんセンターの場合

図2 放射線照射方法のイメージ

根治放射線治療では、威力の弱い小さな線量を何度も繰り返し与え、がん細胞の根絶を目指します。緩和放射線治療では、威力のある大きな線量でがん細胞を一時的に抑えます。ただし、がん細胞の増殖が一過性に止まっているだけのこともあり、しばらくすると、増殖が再開する可能性があります

表2 放射線装置を保有している動物病院

●大学病院や大部分の二次診療の動物病院では、かかりつけ医からの診療依頼が必要です。
各病院のサイトなどで受診に必要な手続きをご確認ください。
●各動物病院のサイトなどをもとに調べたうち、掲載の許可が得られた動物病院のみを記載しています。

制作協力：坂大智洋先生（新潟動物画像診断センター 院長）

【メガボルテージ装置】

都道府県	動物病院
北海道	北海道大学動物医療センター ＊オルソボルテージ装置も所有
青森県	北里大学獣医学部附属動物病院
埼玉県	公益財団法人日本小動物医療センター附属 日本小動物がんセンター
東京都	日本獣医生命科学大学動物医療センター
神奈川県	麻布大学附属動物病院
	日本大学動物病院（ANMEC）
	日本動物高度医療センター 川崎本院
岐阜県	国立大学法人 東海国立大学機構 岐阜大学 応用生物科学部附属動物病院 ＊オルソボルテージ装置も所有
三重県	南動物病院
大阪府	大阪府立大学生命環境科学域附属獣医臨床センター
山口県	山口大学動物医療センター ＊オルソボルテージ装置も所有
愛媛県	岡山理科大学獣医学教育病院

【オルソボルテージ装置】

都道府県	動物病院
北海道	帯広畜産大学動物医療センター
	北海道アニマルメディカルセンター 釧路動物病院
	酪農学園大学附属動物医療センター
岩手県	岩手大学動物病院
宮城県	菅原犬猫病院
山形県	天童動物病院
埼玉県	埼玉動物医療センター
	たぐち動物病院
千葉県	習志野動物医療センター りょう動物病院
東京都	オールハート動物リファーラルセンター
	東京大学附属動物医療センター
新潟県	こばり動物病院
	新潟動物画像診断センター
富山県	よつや動物病院
石川県	ヒロ動物病院
静岡県	小川動物病院
三重県	三重動物医療センター
京都府	舞鶴動物医療センター
大阪府	ネオベッツVRセンター
	ベル動物病院
	松原動物病院 本院
兵庫県	ネクスト動物医療センター
岡山県	岡山動物がんセンター 三宅動物病院 ＊ACC福山動物医療センター（広島県）でも受付可
広島県	動物医療センターALOHA
山口県	シラナガ動物病院
香川県	四国動物医療センター
愛媛県	セントラルシティ動物病院
福岡県	砂輝動物病院
沖縄県	なんせい動物病院

※本リストは、メガボルテージ・オルソボルテージ装置の所有を記載する範囲であれば広告にあたらず、法律上問題ないことを農林水産省の薬事監視指導班から回答いただいたうえで作成しています。具体的な製品名や診療の詳細は本書に掲載できないことをご了承ください。
※2021年8～9月作成

がんと共存する 緩和治療

苦痛を取り除いて生活の質を高める

緩和治療とは、がんと共存しながら生活の質(QOL)を向上させる治療法で、がんと積極的に闘う根治治療(p.72～)が難しい場合などに行われます。痛みの緩和、栄養サポート、苦しさの緩和という3つの柱があり(図1)、飼い主さんが愛猫の余生をどう過ごさせてあげたいかを重視したうえで、獣医師とプランを相談します。

また、人の医療では、緩和治療(緩和ケア)は世界保健機関(WHO)により、右のように定義され、病気の早期から緩和治療が求められていますが、最近では、獣医療でも根治治療の早い段階から、緩和治療が組み込まれるようになってきています(p.31 図2)。「緩和治療＝最期を迎える頃に行う終末期医療(ターミナルケア)」と思われがちですが、緩和治療は終末期だけに行うものではありません。

WHOの「緩和ケア」の定義

「緩和ケアとは、生命を脅かす病に関連する問題に直面している患者とその家族のQOLを、痛みやその他の身体的・心理社会的・スピリチュアルな問題を早期に見出し的確に評価を行い対応することで、苦痛を予防し和らげることを通して向上させるアプローチである」

※日本緩和医療学会「WHO(世界保健機関)による緩和ケアの定義(2002年)」定訳より

図1 がんと共存する緩和治療の3つの柱

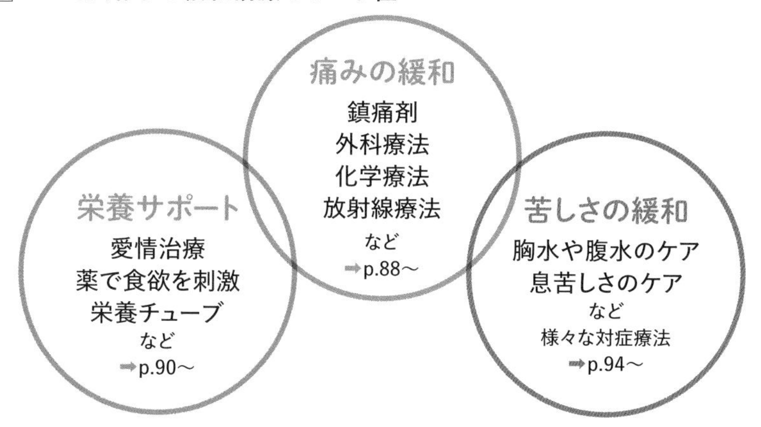

痛みの緩和

早期の段階から痛みを緩和する

がんの緩和治療で最も重要なのが痛みのケア(疼痛緩和)です。痛みがあると猫は食欲不振になったり、眠れなくなったりして体力を消耗してしまいます。痛みは、がんの原発巣(最初にがんが発生した部位)、あるいはがんの転移巣(がんが転移した部位)から生じるものが大部分で、治療に関連した痛みは、最小限に抑えるのが緩和治療のコンセプトです。

また、痛みの程度は、感じ方に個体差があったり、がんが発生した臓器や部位などによっても違うなど、様々です。痛みの程度や段階に合わせ、早期から痛みのケアをすることが、猫の生活の質の向上にもつながります。

治療には、鎮痛剤を使用するほか、痛みの緩和を目的とした外科療法、化学療法、放射線療法などが併用されることがあります。

医療用麻薬などを含め鎮痛剤で痛みを緩和

猫のがんによる痛みを緩和する鎮痛剤には、麻薬性鎮痛薬のオピオイド、NSAIDs(非ステロイド性抗炎症剤)などが使用されます。

オピオイドには、モルヒネやフェンタニルなどがあります。「モルヒネ」と聞くと、麻薬中毒など危険で怖いイメージがあるかもしれませんが、オピオイドは適切な用量と投与間隔で使用されれば、猫と相性のよい薬剤です。

中でもフェンタニルには皮膚に貼って吸収させるタイプの製剤(経皮吸収型)があり、口腔内の扁平上皮がんなどで、首の後ろに貼って痛みを緩和させることができます(写真1)。

NSAIDsはメロキシカムやロベナコキシブなどが使用されます。NSAIDsには解熱、鎮痛、抗炎症作用がありますが、猫の場合、長期使用することで胃腸や腎臓機能に悪影響を与えることがあります。とくに高齢猫は慢性腎臓病を抱えていることも多いので、使用には注意が必要です。

写真1 首の後ろに貼ったフェンタニル製剤

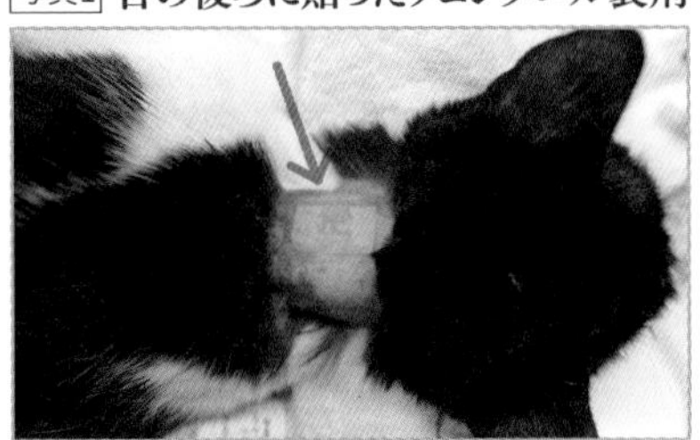

皮膚を通して少しずつ体内に吸収されます

痛みや出血を抑えるため手術で腫瘍を切除

進行して自壊した乳がんや、口腔内の扁平上皮がんなどでは、痛みや出血を抑えるために腫瘍を手術で切除することがあります。根本的な治療ではありませんが、体の機能を改善させて生活の質を向上させることができます。

➡外科療法はp.74〜くわしく解説

化学療法剤で痛みや出血を取り除く

外科手術で取りきれない腫瘍や、転移したがんの場合、痛みや出血を取り除くために化学療法剤を使用することがありますが、適用となることは比較的まれです。

➡化学療法はp.76〜くわしく解説

痛みや機能障害を減らす緩和放射線療法

がん細胞を根絶させるのではなく、痛みを減らしたり、機能障害を軽減するために、放射線療法が使用されることがあります。根治治療に比べ、1回あたりに大きな放射線量を、週1〜2回照射します(p.85 表1)。緩和放射線療法の効果は高く、外科手術がしにくい場所でも最も効率的に出血や痛みなどを軽減できることがあります。

➡放射線療法はp.82〜くわしく解説

医療用麻薬は取り扱う動物病院が限られる

モルヒネ、フェンタニルなどは医療用麻薬のため、施用や管理をする動物病院は、麻薬免許を取得する必要があります。また、法律による厳格なルールがあり、帳簿への記録、鍵のかかる金庫等での保管、廃棄の際の届け出、免許の更新なども必要です。このような管理上の負担もあるため、取り扱う動物病院が限られています。

栄養サポート

体重減少を防ぐために栄養管理をする

がん細胞は、体から多くのエネルギーを奪い、筋肉量も減ってしまうため、がんになると猫は体重が減少してしまいます。これを防ぐために、がんと診断されたときから食事でしっかりカロリーをとって栄養を管理し、体重を維持することはとても大切です。「栄養管理」と言われると食事の質、成分を調べて体によさそうなフードを探す方もいますが、猫のがんにどのような食事がいいのかはわかっていません。

一番大事なのは、十分なカロリーをとること。質より量です。腎臓病、心臓病、糖尿病など、食事療法が必要な病気を併発していない限り、どんなキャットフードでもいいので、猫が食べてくれるものを与えましょう。

栄養サポートその❶

食べてもらう工夫をする「愛情治療」

がんを患った猫は、食欲不振になることがよくあります。そんなとき、飼い主さんがまず家でできることは、食べてもらう工夫です。例えばウエットフードを冷たいままではなく、人肌程度に電子レンジで温め、香りがよくたつようにすると食べるようになることがあります。新鮮なかつお節をほんの少しだけ、振りかけてあげてもよいかもしれません。

また、口元まで手で運んであげたり、食べやすいように山高に盛り付けるなど、ちょっとした工夫で食べ始めることも。どうしたら食べてくれるかを、愛猫の好みや性格に合わせて試してみてください。

スキンシップが好きな猫であれば、
苦しくならない程度に
やさしくなでたり、声をかけたりして
愛情をかけてあげましょう。
「愛情治療」の一つになります。

》栄養サポートその❷

薬のもつ作用で食欲を刺激

食欲が落ち込んで食事の工夫をしても食べてくれないときには、食欲の回復を目的に薬を投与することもあります（表1）。

猫に使用する薬では、シプロヘプタジンや、ミルタザピン等があります。シプロヘプタジンは抗ヒスタミン・抗セロトニン作用のある抗アレルギー剤で、ミルタザピンは抗うつ剤の一種ですが、主作用とは別に、副作用として食欲が刺激されることがあります。

ミルタザピンは錠剤だけでなく、耳介の内側に塗るだけで皮膚から薬が吸収される軟膏タイプもあります。投薬が難しい猫にも使いやすく注目を集めていますが、日本では未発売で、動物病院での取り扱いは獣医師による個人輸入のみです。

また、食欲を刺激するホルモンと似た作用をするカプロモレリンも、食欲回復のために使われることがあります。

表1 食欲の回復を目的に使用される薬の例

一般名	特徴
シプロヘプタジン	抗ヒスタミン作用、抗セロトニン作用がある薬。神経質な猫により効果を示す傾向がある
ミルタザピン ※軟膏タイプは日本未発売。動物病院での取り扱いは獣医師による個人輸入のみ	セロトニン作動性抗うつ薬の一種。シプロヘプタジンが効かない猫にも効果があることがある
カプロモレリン ※日本未発売。動物病院での取り扱いは獣医師による個人輸入のみ	胃から分泌される食欲ホルモンのグレリンと似た作用によって、食欲を刺激する

›› 栄養サポートその❸

直接栄養を補給する チューブ・フィーディング

食欲を刺激する薬を使っても自発的に食べてくれないときは、シリンジで流動食を口から与える手段もあります。しかし、猫は強制的に食べさせられることを極端に嫌います。食事を与えようとすると猫は抵抗して逃げ、お互いにストレスになって、諦めざるをえないこともよくあります。

そのようなときの選択肢に、猫の体に栄養チューブを装着し、栄養を体内にとり入れるチューブ・フィーディングがあります。食道や胃に管（カテーテル）を通し、針のついていないシリンジで流動食や液体食を補給する方法で、水分補給や投薬も一緒に行えるという利点もあります。チューブを体内に入れるのはかわいそう、と思いがちですが、実際には短時間で確実に栄養を補給でき、飼い主さんも猫もストレスから解放される方法です。

がんの診断時に体重が15～20%以上減少している場合など、治療開始とともに早期からチューブ・フィーディングを行うこともあります。

栄養チューブの装着はおもに鼻、食道、胃の3種類の経路があります（表2）。チューブの種類によっては、装着に鎮静または全身麻酔が必要となるので、持病や体の状態次第では使用できないものもあります。

胃ろうチューブを収納するポケット付きの服

体の外にチューブが出るので、邪魔にならないよう、チューブをしまうポケットを付けた服を着せると便利です。手作りするほか、市販のものを活用することも可能です

表2 経路による栄養チューブの違い

栄養チューブの種類	適応期間	装着方法	メリット	デメリット
鼻食道チューブ	数日間〜数週間程度	・鼻の穴から食道までチューブを通す ・鎮静や麻酔がいらないことが多い	・手早く装着可能 ・使用しなくなったらすぐに取り外せるので、簡単に始められる	・細いチューブなので液体食あるいは一部の流動食しか使用できず、詰まりやすい
食道ろうチューブ	数週間〜数カ月間	・首のわきを切開してチューブを食道まで通す ・全身麻酔	・特別な器具が必要ない ・使用しなくなったらすぐに取り外せる ・装着当日から食事を開始できる ・経鼻チューブより太いので、流動食を使用できる	・チューブ装着部の感染リスクがある ・嘔吐時にチューブを吐き出すことがある
胃ろうチューブ	数カ月間〜年単位で使用可能	・内視鏡を用いてチューブを胃に通す ・全身麻酔	・チューブが太いので、市販のキャットフードを使用できる（ミキサーにかけてペースト状にしたフードを与えられる） ・低容積で高カロリーの食事を与えられる ・短時間で食事を終えることが可能	・チューブ装着部の感染リスクがある ・まれに胃の内容物の腹腔内流出や腹膜炎が起こることもある

鼻食道チューブ

食道ろうチューブ

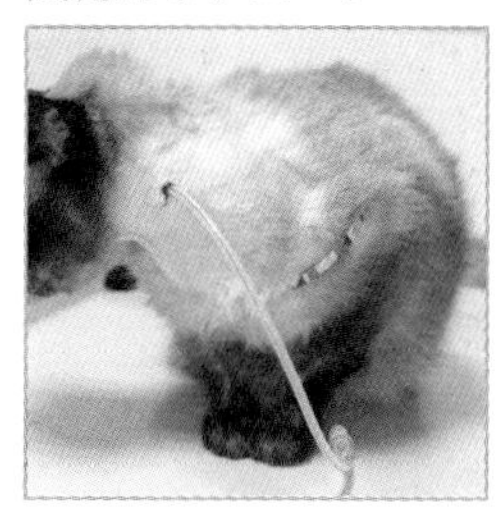

胃ろうチューブ

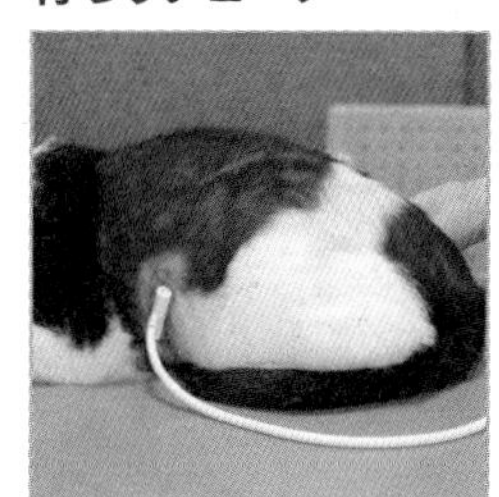

苦しさの緩和

苦しい状態を少しでも改善する

がんが進行すると、腫瘍がリンパ節や肺に転移し、胸水や腹水がたまって呼吸が苦しくなってしまうことがあります。厳しい状況になりますが、苦しい状態を少しでも緩和し、生活の質を向上させるために、以下のような対症療法があります。

たまった胸水や腹水を抜く

乳がんの肺転移やリンパ腫など、胸水や腹水がたまって苦しそうにしている場合には、動物病院で胸水や腹水を抜き取る処置を行います。

通院自体がストレスになったり、胸水を抜いてもすぐにたまったりする場合には、自宅で胸水を抜くことができる胸腔チューブの装着を検討することもあります。空気が逆流しないような逆流防止弁を備えた製品もあり、獣医師が設置した胸腔チューブから、飼い主さんが自宅で胸水を抜くことができます。

酸素吸入ボックスで息苦しさを改善

がんの猫の息苦しさを和らげるためには、動物病院で温度、酸素濃度、湿度を調整したICU室に入る方法もありますが、通院が難しい場合には、自宅でのケアとして、酸素ボックスのレンタルサービス業者を利用する方法もあります。

酸素濃縮器で空気よりも高濃度の酸素を作り、ホースから出る酸素を吸入する方法です。専用のボックスに猫を入れて、ホースで高濃度酸素を送り込みます。ボックスにタオルをかけて薄暗くしたり、猫が好きな毛布を敷いたりして、猫が入りやすい環境を整えてあげましょう。

胸腔チューブの例

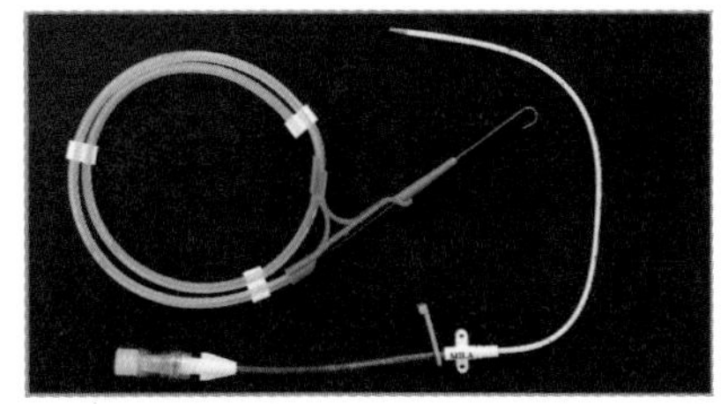

逆流防止弁付きで扱いやすい胸腔チューブ。家庭でも安全に使用可能です

レンタル酸素ボックスの例

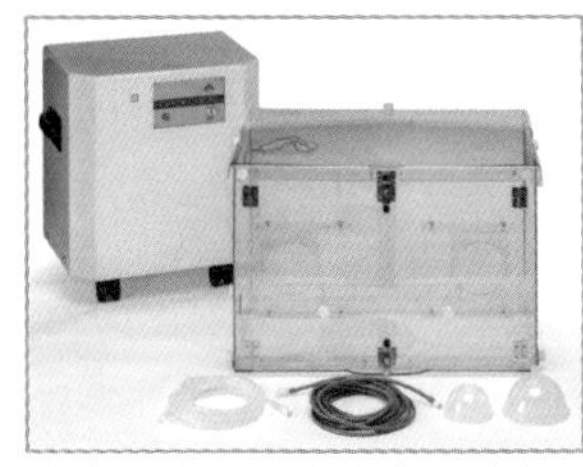

写真提供：テルコム株式会社

酸素濃縮器で高濃度の酸素を作り、猫が入ったケージ（手前）に酸素を送ります

5章

闘病の不安を和らげるために

がん情報は
どう集める?

獣医さんとの
付き合い方は?

～気になることを聞いてみました～

教えて! 小林先生

愛猫ががんになると、不安でいっぱいになり、
どのように病気と向き合ったらいいのか迷うことも多いですよね。
そこで、たくさんのがんの猫と飼い主さんに接してきた小林先生に
飼い主さんに多い悩みや、獣医師になかなか聞きづらい疑問に
答えていただきました。

回答:**小林哲也先生**

Q 最新の治療法を、自分でも調べるべき?

動物の医療はどんどん進歩していると聞きます。獣医師に言われるままではなく、最新のがん治療について、自分でも専門書などで調べたほうがいいのでしょうか?

A 最新の治療法が「愛猫に最善」とは限りません

病気について勉強すること自体は悪くないのですが、情報源が不確かであることも少なくありません。また、十分な根拠がある治療法ではないのに、飼い主さんが最善と思い込んでしまっているケースも頻繁に見かけます。最新の治療法が最良とは限りません。最新の治療法は歴史が浅い分、データの蓄積が少なく、中～長期毒性(治療法を一定期間以上実施した際の毒性)が不明という側面も持ちあわせています。一方、以前からある治療法は、一定の効果が認められているからこそ、現在もなお残っているのです。

また、何が最良の治療になるのかは、その子によって全く違います。一般的に「最新」「最善」と言われていても、あなたのニャンコにとってそれが最善かどうかはわかりません。がんだけでなく、慢性腎臓病などの持病の有無からも治療の選択肢は変わってきますので、まずはかかりつけの獣医師とよく相談してみましょう。

Q 手術に踏み切れないときは、どうしたらいい？

高齢の愛猫ががんに。体力的に手術は心配ですし、金銭的にも厳しく、積極的な治療に踏み切れません。でも大切な子に少しでも長生きしてほしくて、葛藤しています。

A 必ずしも、がんと闘わなくてもいいのです

飼い主さんによって考え方や家庭の事情などが違いますので、必ずしも根治治療（p.72〜）を行わなければいけない、というわけではありません。病気をその子の天命と考え、根治治療はせず、お別れを言うときまで家で穏やかに過ごすというのも、悪いことではないのです。その場合でも、痛みや苦しみを取り除く緩和治療（p.87〜）をしてあげることは可能です。担当の獣医師とよく相談し、飼い主さんとニャンコにとって、よりよいと思える方法を選びましょう。

Q 闘病で愛猫に嫌われないか心配です

怖がりで病院が苦手な愛猫。通院や手術でストレスがかかると、私（飼い主）のことを嫌いにならないでしょうか……。

A 心配いりません。嫌われるのは獣医師です

注射など、猫に嫌われるようなことをするのは僕たち獣医師ですから、それは心配しなくて大丈夫。ニャンコにとって飼い主さんは唯一の避難場所です。むしろ飼い主さんのことをより好きになってくれるかもしれません。たとえ私たち獣医師が猫に嫌われても（悲しいですけど……）、ご家族と猫が最終的にハッピーになってくれればよいと考えています。

インターネットの情報が多すぎて……。どうやって必要な情報を探せばいい?

愛猫ががんと診断され、気持ちが落ち着かず、ついネットで調べてしまいます。人によって言っていることが違ったり、同じ病気でも情報がいろいろあったりして、正解がわかりません。

A ネット情報は、ほどほどに。リアル獣医師と向き合いましょう

インターネットには、有用な情報がたくさんあふれています。その一方で、正しいかどうかわからないものも多くあり、どれが本当か判断するのは大変難しいことです。とくに「よかった経験」よりも、「悪く感じた経験」のほうが記事になりやすく、たまたまうまくいかなかった一例の猫ブログを読んで、完治の可能性がある治療法を諦めてしまう飼い主さんもいます。

ネットには様々な思想があるので、自分が求めているサイトに巡りあうことができるかもしれませんが、本当かどうかわからない情報に翻弄されてしまう危険性には十分にご注意ください。人は一旦思い込んでしまうと、似たような情報を好んで探す傾向があり、偏った考え方しか耳に入ってこなくなる可能性があります。獣医師ですら、思い込みは誤診につながるので、本当に注意が必要です。

ネットの情報の海に溺れないためには、信頼できるリアル獣医師に会うことですね。仮にその獣医師と相性が合わなくても病院を変えれば済むだけです。動物病院は日本全国に約1万軒ありますから。

愛するペットががんになり、闘病で大変な思いをしている飼い主さんの約40%が抑うつ状態にあるという研究もあります。うつは「心の風邪」と呼ばれるように、誰でもかかる可能性があります。ふだんであれば何ら問題なくできる判断も、抑うつ状態では適切に判断できないこともあります。ですので、どうしたらよいかわからなくなったときは、ネットの情報の海に向かって泳ぎ始めるのではなく、できるだけリアル獣医師と向き合い、自分の気持ちを少しずつ整理するほうがよいと思います。

Q セカンドオピニオンを受けたいのですが、かかりつけ医が気を悪くしない？

現在かかりつけの獣医さんの診断だけだと不安があります。セカンドオピニオンを受けたいのですが、先生に悪い気がして言い出せません。正直なところ、獣医さんはどう思うのでしょうか？

腫瘍の場合、セカンドオピニオンを獣医師がすすめることも増えています

一次診療施設のホームドクターとのふだんの関わり方次第でもありますが、現在の獣医界では、セカンドオピニオンはよく行われるようになりつつあります。

一次診療の病院は、かかりつけ医として広範囲の病気を診ます。一方、腫瘍をはじめ、様々な分野に特化した専門診療を行うことができる二次診療施設などでは、その時点での最新情報をもとに、ご家族のニーズや予算に合わせた診断・治療の選択肢を一緒に考えてくれることでしょう（p.75コラム参照）。

獣医臨床腫瘍学は最もアップデートが早い分野でもあるので、最近は一次診療の獣医師からセカンドオピニオンを受けたほうがいい、と専門診療をすすめる場合も増えてきています。むしろ積極的にすすめてくる獣医師のほうが信頼できると思いますよ。

サプリメントは、積極的に与えてもいい？
「がんに効く」というサプリメントや民間療法の情報がたくさんありますが、飲ませてもいいものなのでしょうか？

与えるのは飼い主さんの自由ですが、ゴハンをきちんと食べさせることのほうが大事です

サプリメントは医薬品ではなく、いわゆる健康食品ですし、与えるのは飼い主さんの自由です。ですが、各サプリの飲み合わせについては知られていません。過剰に投与すると、体に害がないと言い切れない部分もあります。中には「効くかもしれない」サプリもあるかもしれませんが、どの成分がどれだけ効くのかわかっていませんし、その成分の品質や量も保証されていません。

一部の飼い主さんには、サプリ探しに夢中になるあまり、「きちんとゴハンを食べさせる」という大切な基本を忘れてしまう方も多いように思います。いろいろなサプリを与えるよりも、まずは適切な量のゴハンをきちんと食べさせることのほうが遥かに大事です。

奇跡的にがんが治った子がサプリを飲んでいたと聞くと、同じものを飲ませたくなる気持ちもわかりますが、それは「サプリが効いたから」とは限りません。ほかにも薬剤が投与されていたり、もともと免疫力が高いなど、別の要因もあって奇跡が起こったレアケースかもしれません。残念ながら、その奇跡的な成功例を真似しても、大半のがんは治りません。猫のがんは手強いものが多く、魔法のような効果を示すがん治療はありません。……そんな魔法があったら僕が教えてほしいくらいです。

さらに、基本的に、民間療法では猫のがんを治すことはできないと思ってください。「がんが治らないまでも、サプリを使うことで少しでも猫を楽にしてあげたい……」。そのお気持ちは、痛いほどわかります。そう、がんが進行した場合、最も重要な治療の一つが痛みの治療です。現在は一般的な飲み薬のほか、貼り薬、粘膜から吸収される痛み止めなど、様々な痛み止めを猫に投薬できます。口腔内の扁平上皮がんなどは、お薬で痛みを和らげてあげるだけで、猫がゴハンを食べてくれるようになることもあります。脱水している猫には皮下輸液も非常に有効です。愛猫が最期を迎えるまで、少しでも楽にしてあげる方法は、たくさん残されています。

サプリには、飼い主さんご自身の体調がサプリで改善されるのと同じくらいの確率を、猫にも期待するとちょうどよいでしょう。くれぐれもインターネット広告などにのめり込むことなく、上手にサプリを利用してください。

「余命○カ月」と 獣医学の「生存期間」は意味が違う

テレビドラマなどで、がんの人が余命宣告されるシーンをよく見かけるため、がん=余命宣告されるものと思われがちですが、実際には人も動物も、必ず余命宣告されるわけではありません。「余命」の数字は、よく理解しないと誤解を生む可能性もあるため、獣医師によってはあえて言わない場合もあります。

例えば獣医師から、この子の「生存期間」が9カ月と言われた場合、飼い主さんは「もって9カ月」あるいは「余命9カ月」と解釈してしまうかもしれません。余命9カ月とは、残された命が9カ月という意味合いで、獣医学で頻繁に用いられる「生存期間の中央値※1（または平均値）」とは全く異なります。生存期間の中央値とは、半分の子は9カ月未満で命を落とすけれど、残りの半分は9カ月を超えて生存する、という意味なのです。獣医師と飼い主さんの間に認識のズレがおきやすい言葉です。

※1　中央値=データ（生存期間）を小さい順に並べたとき、中央にくる数値

認識にズレが生じやすい

「生存期間」の数字は、あなたの猫に必ずしも当てはまるものではありません。あくまでデータの一つとして考えましょう

～飼い主さん自身の心のケアを考える～

愛猫のがん闘病との向き合い方

愛猫が「がん」になると飼い主さんの気持ちが揺らいだり、
長い闘病生活で、ときには心が疲れてしまうことも。
そんなとき、飼い主としてどのように心を保てばいいのでしょうか。
がんを患ったペットの飼い主さんに寄り添い、カウンセリングを行っている
日本小動物がんセンターの中森あづさ先生に伺いました。

獣医師・
日本小動物がんセンター
カウンセリング科 科長
中森あづさ先生

東京農工大学大学院博士課程修了。東京カウンセリングスクール研修Ⅱ修了後、NPOでヘルスアドバイザーなどの経験を積み、一般動物病院にメンタルケアスタッフとして勤務。2008年より現職に。日本では前例のない動物病院のカウンセリング科で試行錯誤を重ねながら、10年以上にわたり、がんの動物と飼い主を支えている。

中森先生は、がんの動物の飼い主さんに対して、どのようなカウンセリングを行っているのでしょう？

日本小動物がんセンターは、がんの治療を受けているワンちゃん、猫ちゃんばかりですから、飼い主さんも精神的に不安定な状況であることがほとんどです。とくに初診時は不安でいっぱいだと思いますので、私は受付にてご挨拶させていただき、1日の流れを説明することから始めます。まずは待合室でお話しして顔を覚えていただき、少しでも不安が和らぐようにと思っています。

その後、担当獣医師が診察し、必要と思われる検査の説明や、費用の概算などを飼い主さんにお伝えします。同意を得られたところで、検査の同意書をいただくのですが、その際にも私が入ります。獣医師の説明だけですと、飼い主さんは「やらなくちゃいけないのか」と勢いにのまれてしまうこともあるんですよね。そうならないためには、ご家族だけで「本当にここまでやるのか」と考える時間が必要です。ご家族が納得することが一番ですから、意向に沿った治療ができるようにサポートしています。

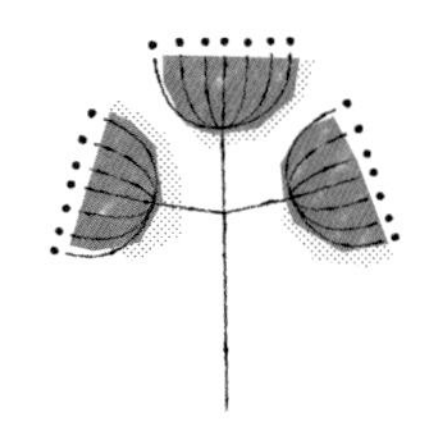

個別のカウンセリングでは、どのようなお話をされるのでしょうか？

だいたい45～60分くらいの時間で、その方によって内容は違いますね。治療の選択に迷っているというお話をされたり、ご自宅で感情を表せる環境にない方がただただ泣いて帰っていくということもあります。まずはお話を聴き、そのうえで「こういう考え方をしてみてはどうですか？」と提案をすることもあります。

ほかにも、待合室で落ち込んでいる様子の方がいれば声をかけることもあります。カウンセリングというと、静かなお部屋で1対1で行うイメージが強いですが、必要なときにはいつでもどこでもお話を聴ける姿勢でいることが大切だと思っています。

病気の子の看病は犬猫問わず本当に大変ですから、飼い主さんの心理的な負担を少しでも減らすことはとても重要です。気持ちを吐き出す場や、話を聴いてくれる人がいることで楽になるので、今通院している病院にカウンセリング科がなくても、看護師さんや受付の人など話しやすい人を見つけて、ためらうことなくお話ししてほしいですね。

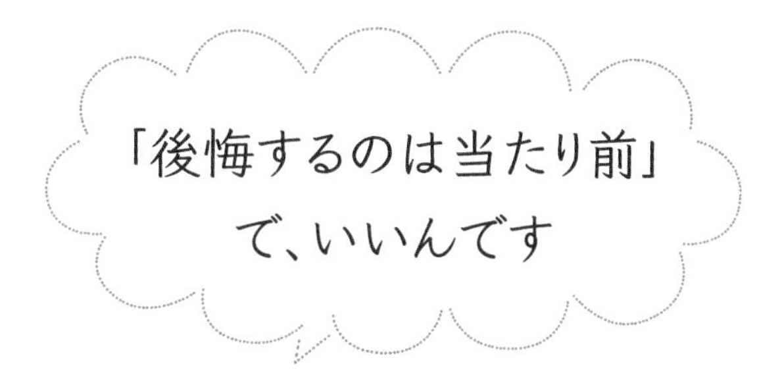

愛猫が「がん」になると、どの治療法にするのか、いつまで続けるのか……など飼い主さんには決めなくてはならないことがたくさんあります。その決断をどうしたらいいのか、考え方の指針はありますか？

獣医師側は、選択肢を示すことしかできません。何を選ぶかは、その子と一緒にいる家族だからこそ決められることなのですが、「あっちにすれば苦しまなかったかもしれない」という後悔は必ずあると思うんですよね。でも、どんな治療法を選んだとしてもパーフェクトな答えはありません。大切な子のことを考え、すごく迷って選んだことですから、飼い主さんがその時点で決断したことが正解なのです。「後悔するのは当たり前」と考えていいんです。

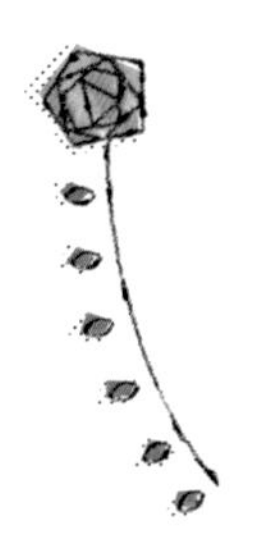

今はインターネットでいろいろな情報を見られるので、自分の選択でよかったのか、不安になることもあります。

同じ病気でも、ほかの子に合った治療が自分の子に合うとは限りません。自分の子に合うものを獣医師と相談して決めたのなら、その選択に自信をもっていいのではないでしょうか。それでも迷い続けるのであれば「後悔が少なそうなほうを選ぶ」というのも一つの考え方です。

疲れること、楽しむことに、罪悪感はいりません

病気の子をもつ飼い主さんには「この子の前では絶対に涙を見せない」「弱音を吐かない」とがんばる人が多いように思います。気が張ってしまう闘病生活をどう継続していったらいいのでしょうか？

獣医療が発達し、一緒にいられる時間が長くなったのは素晴らしいことですが、看病する期間が長くなると、飼い主さんは疲れてしまいます。なのに自分が疲れてしまうこと、今の状況から逃げ出したいと思うことに罪悪感を覚える方は多いですね。「この子は病気でこんなにがんばっているのに、私が楽しいことをしていたら申し訳ない」と思ってしまうのです。

例えばショッピングをしたり、映画を観て息抜きをすることにも罪悪感をもってしまう人もいるかと思います。

それでも、息抜きができる人は健全です。病気の子に申し訳なくてどこにも行けなくなり、その子のためだけに自分の時間を使うようになると、バランスが悪すぎます。飼い主さんが自分の生活をきちんと維持することが大事で、疲れ切ってしまってはダメなんです。精神のバランスを保つためにも、病気の子のことを考えない時間は大切。そのことに罪悪感をもつ必要はありません。十分やっているのだから、自分を認めてあげてください。

私と愛猫のがん闘病生活

interview

みうさん（メス・享年16才 ロシアンブルー）の
扁平上皮がん闘病を経験
鎌田里苗さん

現在はSNSで人気の猫「くまお」「こぐま」と暮らす。ヒトもネコも幸せな社会を目指して、2018年に一般社団法人くまお設立。
http://kumao.co/

飼い主がいつも通りにしているのが一番の薬になるのかもしれません

15年一緒に暮らした愛猫・みうさんが扁平上皮がんの告知を受け、約3カ月間、介護をして看取った鎌田さん。
「最初にがんがわかったときは、病気の進行の早さ、症状に対する衝撃が大きくて、病名は意識していなかったと思います」。
進行が早かったため手術は行わず、怖がりな性格を考え、化学療法や放射線療法は選択しなかったそう。
「当初は治療も何を選ぶのが正しいのか、どう向き合うのがよいのかわからず、悩みました。でも正解はどこにもなくて、みうさんの“生きたい”という気持ちに向き合い、なるべく負担にならない過ごし方を、という方向に考えが変わっていきました」。
次第に目が見えなくなり、鼻も利かなくなっていったみうさん。
「驚かせないように声をかけながら近づくなど、安心して過ごせるように気をつけていました。それまで、みうさんは夫のことが大好きで、私にはなついていなかったのですが、介護中は私に安心して身を任せてくれました。それがうれしく、パワーをもらいましたね。ただ、闘病中はつねに明るく接していようと思っていたのですが、みうさんの痛みが強まってきた後半は、私のうろたえた姿を見せてしまったことを今も一番後悔しています」。
闘病生活は飼い主さんにとって、つらいことが多いものです。
「私はそのつらさだけを背負ってしまい『みうさんとの大切な時間』という気持ちが抜け落ちた時間を過ごしてしまいました。病気や症状だけに目を向けず、私自身が楽しく過ごしている時間も共有できたら、もっと安心して過ごしてくれたんじゃないかと思います。言葉は通じなくても気持ちは通じると思うので、飼い主がいつも通り楽しそうにしているのが、一番の薬になるのかもしれません」。
また、「がん」という言葉にとらわれすぎないことも大切だと感じるそう。
「『がん』は悲観的になってしまう単語だとも感じます。みうさんには病気やがんの概念はなかったと思うので、病気（がん）のみうさん、ではなく『みうさんは、みうさん』と捉えることが大切だったなと考えています」。

多頭飼いの場合、病気の子にかまってばかりだと、ほかの子が焼きもちを焼いたり、我慢を強いていないか気になることもあります。病気でもなるべく特別扱いせず、全員に同じように接したほうがいいのでしょうか？

人間でもそうですが、病気の子にどうしても手がかかるのは仕方がないことですし、一緒にいる子たちは毎日のお世話を見て、その子の状態をわかっていますよね。病気の子の重篤度や、それぞれとの関係性にもよりますが、同居の子に遠慮する必要はないと思います。無理にすべての猫に平等に接しようとすると、病気の子がもし亡くなったときに、かえって後悔するかもしれませんし、同居の子が病気になったら、またその子に手をかけるわけですから。

それに、飼い主さんと猫、猫同士も、関係性は変化します。例えば、私も以前2匹いた猫のうち1匹が亡くなると、残った子はものすごく私に甘えるようになりました。1対1になったらベッタリになって、こんなに変わるものかと思いましたが、その後、新しく子猫を迎えたら、今度は猫同士の世界ができて落ち着きました。その時々で関係性は変わっていくものなので、病気の子がいる間はほかの子に遠慮せず、手をかけてあげてください。

病気が進行し、痛みや苦しみの改善の余地がなく、あまりにも苦しそうな子を見ていると、「安楽死」という選択肢が頭をよぎる場合もあると思います。獣医師にどのように伝えたらいいのでしょう?

苦しみから解放してあげるというのも一つの選択肢ですが、安楽死はとても難しい問題で、獣医師によっては受け付けない、認めないという人もいます。いざというときにかかりつけの病院が対応してくれるかは、前もって調べておかないとわかりません。

希望される可能性があるなら、「こういう状態になったときは安楽死を選択するかもしれませんが、対応していただけますか」と聞いておいたほうがいいかもしれないですね。日本人の場合、安楽死に罪悪感をもつ人も多いですし、実際に選ぶ人は少ないように感じています。

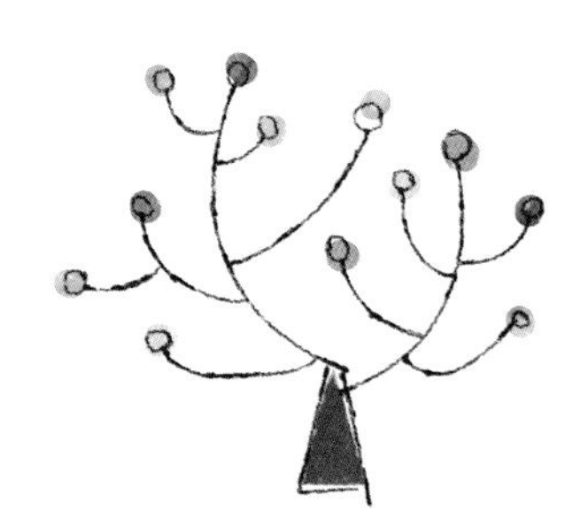

お別れの日が近づいてくると、「最期は自分の腕の中で旅立ってほしい」と願う飼い主さんも多いと思います。でもすべての人が最期に立ち会えるわけではなく、看取れなかったことを後悔する声もよく聞きます。

私は、飼い主さんがいないときに亡くなっても、腕の中で亡くなっても、どちらも「その子が選んだこと」だと思っています。精神論みたいになってしまいますが、私たちには最期のときを決められないですからね。また、私たちは、じつは猫に選ばれているんです。「この子が私たちを選んで来てくれているのだから、私たちはそれに応えてあげましょう」とお話しすることもあります。

縁があって来てくれたのだから、亡くなるタイミングも場所も、その子が選ぶこと。猫のなかには、ひとりで逝きたい子もいるかもしれません。最期に立ち会えなかった際には、一つの考え方として、「この子はひっそり逝くことを望んだんだ」と思えるようになるといいですね。慰めではなく、本当にそういうことだと、私は思っています。

難しい問題ですが、愛猫の限りある命について、飼い主はどう向き合ったらいいのでしょうか？

動物と暮らすと決めた段階で、最期まで見送るのは飼い主の義務です。猫はどんどん寿命が長くなっていますから、一緒に暮らす時間が長くなるほど、その子を失うと考えるだけでつらくなりますよね。でも私たち飼い主が先に亡くなるわけにはいきませんので、やっぱり見送ってあげることは大前提になります。

病院で「生存期間数カ月」などと聞くと、飼い主さんは目の前が真っ暗になってかなりしんどいものです。「今こんなに元気にしているのに、この子がもうすぐいなくなっちゃうの？」と不安になりますし、泣いてしまったりします。でも当の猫ちゃんは、自分がどうなるかなんて考えていないのです。大好きな家族が一緒にいて抱っこしてくれて、美味しいものを食べられる、それが動物たちにとっての幸せです。そこと向き合ってください。

また、生存期間何カ月というのは、過去のデータの統計上の数字で、それがあなたの子に当てはまるのかはわかりません。「この子、もうすぐ死んじゃうんだ」と先のことを考えて悲しい気持ちで日々を送るのではなく、今、一緒にいられて、お互いに幸せを感じられる時間を楽しんで大切にしてください。私自身も、ずっと動物と暮らしてきて、それなりに命を見送ってきた経験から強くそう思いますし、大事なことだと思います。

先のことを考えて不安になるのは、人間のいいところでもあり、悪いところなのかもしれません。お伝えしたいのは、動物たちは先のことなど考えず、「今」を大切に生きているのだから、私たちも今を大切にしましょう、ということです。

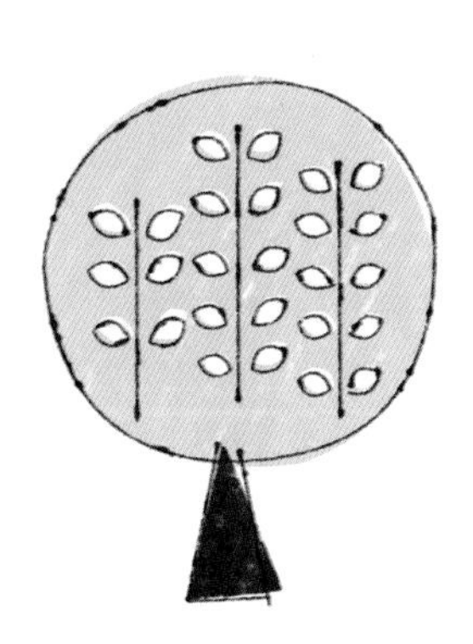

先のことより、
お互いに幸せを
感じられる時間
を大切に

私と愛猫のがん闘病生活

くりちゃん（メス・享年16才）の
乳がん闘病を経験
本書の構成・文担当　郡司真紀

試行錯誤を重ねた自壊ケア用の服。前足が自由にならないと嫌がったため、胸の部分にゴムを入れて留めるスタイルに

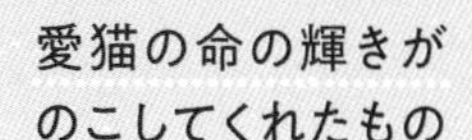

愛猫の命の輝きが のこしてくれたもの

病気一つしたことのなかった愛猫・くりが15才のとき、胸に小さなしこりが見つかり、乳がんだとわかりました。当初は、「1才になる前に不妊手術もしたのに、なぜ、がんになってしまったのか。食事が影響したのか、環境がストレスになったのか……」と理由を考えては、自分を責めていました。

そんな話をかかりつけの獣医さんにしたところ「がんは気をつけていても、かかってしまう。飼い主さんのせいではない」と言われ、心がスッと軽くなりました。それからは、病気もこの子の個性の一つ、と受け入れられるようになりました。

がんが肺に転移してから最期までの約1カ月は、呼吸も苦しそうで、つらい闘病生活でしたが、それまでは1年以上、がんと付き合いながら過ごすことができたと思っています。腫瘍が自壊したときは、なめ壊さないよう、術後服を改良して体に合う服を手作りし、生理用ナプキンを貼って出血部分を清潔に保つようにしていました。1日数回、着替えさせるお世話も楽しんでやっていたように思います。

いつかお別れの日が来ることは覚悟しつつ、大好きなこの子のために、絶対に後悔しないようにしよう、と前向きに考えていましたが、今思えば、少し無理をしていた気がします。

闘病をがんばる気持ちが強すぎたため、つねにくりのために何かしていないと焦ってしまう状態で、亡くなった後は、がんばっても報われなかった、という無力感に苛まれました。

その思いは今も消えませんが、今回の本の制作にあたり、獣医臨床腫瘍学の専門医で、第一人者でもある小林先生の“がんの動物の治療を諦めない”という情熱に触れ、意識が変わった気がします。もし、くりががんになる前にこの本を読んでいたら……結果が変わったかはわかりませんが、もっと心にゆとりをもつことができたかもしれません。

今、愛猫のがんと向き合っている多くの飼い主さんにとって、この本が心の拠り所となり、闘病生活の一助となることを願っています。

愛する猫との
かけがえのない「今」を
大切に

小林哲也先生の愛猫たち

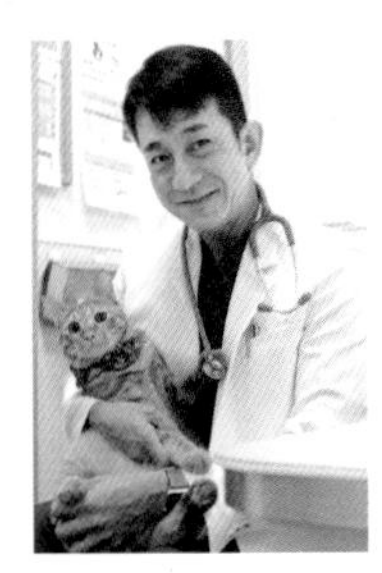

監修 小林哲也

公益財団法人日本小動物医療センター附属 日本小動物がんセンター センター長。
一般社団法人日本獣医がん臨床研究グループ(JVCOG)代表理事。
乳がんで苦しむ猫をゼロにするプロジェクト「キャットリボン運動」を展開し、獣医師・飼い主さんに向けて猫の乳がんの正しい知識の普及啓発を行っている。

〈経歴〉2001年:米国獣医内科学専門医(腫瘍学)として認定(日本人第1号)
2002年4月〜日本獣医生命科学大学非常勤講師
2011年〜日本獣医学専門医奨学基金(JFVSS)代表理事
2014年〜ねこ医学会(JSFM)理事
2015年〜アジア獣医内科学専門医(小動物)

構成・文 郡司真紀

1996年より猫専門誌の編集をつとめ、以降も猫や舞台芸術をテーマに編集者・ライターとして活動。猫飼い歴約40年。長寿猫(22才)の介護、乳がんを患った「くり」(写真)の闘病を経て、現在は茶トラの「たんぽぽ」と暮らす。

<おもな参考文献>

- 小林哲也, 賀川由美子「病理組織検査から得られた猫の疾患鑑別診断リスト2015」『Veterinaly Oncology』, 8:4-43, 2015.
- 『犬・猫の腫瘍学 理論から臨床まで』(Guillermo Couto, Néstor Moreno 著 瀬戸口明日香 監訳/ファームプレス, 2016)
- 『動物看護の教科書 新訂版 第5巻』(緑書房, 2020)
- 「犬と猫のワクチネーションガイドライン2015」(WSAVA)
- 「放射線治療に係るガイドライン」(日本獣医学会)
- 「獣医腫瘍科認定医」(日本獣医がん学会サイト)
- 「がん情報サービス」(国立がん研究センター)
- 「緩和ケア.net」(日本緩和医療学会)

- Bertone E. R., Snyder L. A., Moore A. S.: Environmental tobacco smoke and risk of malignant lymphoma in pet cats. *Am J Epidemiol,* 156: 3, 268-273, 2002.
- Brodbelt D. C., Blissitt K. J., Hammond R. A., et al.: The risk of death: the confidential enquiry into perioperative small animal fatalities. *Vet Anaesth Analg,* 35: 5,365-373, 2008.
- McNeill C. J., Sorenmo K. U., Shofer F. S., et al.: Evaluation of adjuvant doxorubicin-based chemotherapy for the treatment of feline mammary carcinoma. *J Vet Intern Med,* 23: 1, 123-129, 2009.
- Morrison W.B., Starr R. M.: Vaccine-Associated Feline Sarcoma Task Force. *J Am Vet Med Assoc*, 218:5,697–702,2001.
- Overley B., Shofer F. S., Goldschmidt M. H., et al.: Association between ovarihysterectomy and feline mammary carcinoma. *J Vet Intern Med,* 19: 4, 560-563, 2005.

猫の「がん」〜正しく知って、向き合う〜

2021年10月22日 第1刷発行

デザイン	長井雅子、小林幸乃(インシー)
表紙イラスト	山中玲奈
中面イラスト	桂川莉那(株式会社エフアンドエス クリエイションズ)
図版	山村裕一(cyklu)
写真	小林哲也(症例・機器・器具・愛猫)、tomo、Adobe Photostock
校正	株式会社ぷれす
印刷・製本	中央精版印刷株式会社
発行人	本木文恵
発行所	ねこねっこ(猫の本専門出版) 千葉県千葉市緑区大椎町1251-170 Tel:050-5373-8637 Fax:03-4335-0982 info@neco-necco.net https://neco-necco.net/

neco-necco

ISBN 978-4-910212-04-3 C0077